A dieta do abdômen

DAVID ZINCZENKO
com TED SPIKER

A dieta do abdômen

Um programa de alimentação e de exercícios para perder a barriga, ganhar força e se manter em forma pelo resto da vida

3ª Edição

SEXTANTE

Título original: *The ABS Diet*

Publicado em acordo com a Rodale Inc., Emmaus, PA, EUA.

TRADUÇÃO: A. B. Pinheiro de Lemos
PREPARO DE ORIGINAIS: Valéria Inez Prest
REVISÃO: Luis Américo Costa e Sérgio Bellinello Soares
PROJETO GRÁFICO E DIAGRAMAÇÃO: Marcia Raed
CAPA: Miriam Lerner
FOTOLITOS: R R Donnelley
IMPRESSÃO E ACABAMENTO: Geográfica e Editora Ltda.

CIP-BRASIL. CATALOGAÇÃO-NA-FONTE
SINDICATO NACIONAL DOS EDITORES DE LIVROS, RJ

Z67d

Zinczenko, David
A dieta do abdômen / David Zinczenko com Ted Spiker ; tradução de A. B. Pinheiro de Lemos. – Rio de Janeiro : Sextante, 2005.
il. ;

Tradução de: The ABS diet.
ISBN 85-7542-193-X

1. Dieta de emagrecimento. 2. Hábitos alimentares – Aspectos fisiológicos. 3. Nutrição. 4. Exercícios físicos. I. Spiker, David. II. Título.

CDD 613.25
05-2613. CDU 613.24

GMT Editores Ltda.
Rua Voluntários da Pátria, 45 – Gr. 1.404
Botafogo – 22270-000 – Rio de Janeiro – RJ
Tel.: (21) 2286-9944 – Fax: (21) 2286-9244
E-mail: atendimento@esextante.com.br
www.sextante.com.br

Sumário

| INTRODUÇÃO |

Você tem um abdômen definido – isso mesmo, você

O PROGRAMA QUE VAI TRANSFORMAR SUA GORDURA EM MÚSCULOS

QUANDO VOCÊ PENSA EM UM ABDÔMEN DEFINIDO, é provável que imagine atletas e celebridades. Talvez se lembre de capas de revistas e comerciais de calcinhas e cuecas. Pode pensar em barriga de tanquinho ou barriga de jacaré, tão dura que dá para quicar uma bola em cima. Seu lado cético talvez pense em lipoescultura, dietas de fome e em um programa de exercícios que consome tanto tempo que violaria as leis trabalhistas. Abdômen trabalhado, você presume, é coisa para esportistas, fisiculturistas, personal trainers, artistas, supermodelos, aberrações genéticas, lipoaspirados e pessoas que consideram o aipo uma deliciosa sobremesa.

Sua conclusão: você tem mais chance de conseguir escalar o Monte Everest do que de exibir um abdômen definido.

Como editor de uma revista na área de saúde, a *Men's Health*, posso garantir que você – por mais barrigudo que seja, por mais dietas que já tenha tentado ou por mais sedutor que seja o desafio de escalar o Everest – possui todas as condições de desenvolver um abdômen espetacular. Devo ressaltar que analiso as informações sobre saúde e capacidade física, o que chamamos de fitness, da mesma forma que os corretores de valores avaliam o mercado. É meu dever descobrir as maneiras mais rápidas e eficientes para que você alcance tremendos ganhos com seu mais importante investimento: seu próprio corpo. Por isso, quando penso no abdômen definido, a única coisa que me interessa é a seguinte: como você poderá obtê-lo.

Compreendo sua luta. Você olha para baixo e vê uma protuberância gelatinosa implantada na sua barriga. No mesmo instante, imagina que seu tempo de ter um abdômen reto acabou quando saiu da escola. Mas você não deve acreditar que os músculos abdominais se foram para sempre. Pense neles como primos em terceiro grau que você conheceu em uma reunião de família no passado. Lembra que os viu e por isso tem uma vaga recordação da sua aparência. No entanto, já se passou tanto tempo que não sabe mais onde poderia encontrá-los. Afinal, foram muitos anos sem nenhum contato. Apesar disso, o fato fisiológico persiste: você possui músculos abdominais.

A Dieta do Abdômen vai ajudá-lo a descobrir onde estão esses músculos.

A obesidade é hoje um problema mundial. Nos Estados Unidos, por exemplo, 130 milhões de pessoas têm excesso de peso ou são obesas, e o mesmo ocorre com cerca de 40% dos brasileiros adultos. Isso mostra que nunca houve um momento mais crítico para você se preocupar com seu peso, sua forma, sua saúde. Sei que alguns críticos vão considerar a idéia de um abdômen definido um símbolo moderno da vaidade, mas o desenvolvimento dos músculos abdominais é mais do que apenas um modo de fomentar a indústria de espelhos.

Esses músculos são os símbolos contemporâneos da boa forma física.

Eles constituem o maior indicador da sua saúde.

E, como a barriga reta aumenta a atração sexual, eles representam a única parte do corpo que tem o mesmo poder de sedução sobre homens e mulheres.

É provável que você já tenha procurado antes por seus músculos abdominais. Pode ser que tenha fracassado nas tentativas anteriores de perda de peso e talvez tenha ficado um longo tempo na gangorra do emagrece-engorda. Sei pelo que você passou. Afinal, milhares de pessoas partilharam suas histórias com nossa revista. Mas estou familiarizado com sua luta por outro motivo: sei muito bem como é se sentir gordo.

Como um garoto que na década de 1980 passava a maior parte do dia sozinho porque o pai e a mãe trabalhavam fora, cometi todos os erros possíveis na minha alimentação. Comia sanduíches e alimentos gordurosos. Aos 14 anos, media 1,78m e pesava 96kg. Queria ter o corpo de um jogador de basquete; em vez disso, me parecia com a própria bola de basquete. E pagava o preço sofrendo um bombardeio incessante de zombarias e humilhações. Meu irmão mais velho, Eric, convidava os amigos para irem lá em casa apenas para me verem almoçar.

"Não perturbem esse paquiderme", dizia Eric aos amigos. "Ele está se alimentando."

Herdei os hábitos de saúde particularmente do meu pai. Ele teve mais de 40kg de excesso de peso durante a maior parte da sua vida adulta. Com o passar do tempo, tornou-se hipertenso e diabético. Um infarto fulminante encerrou sua vida aos 52 anos. Morreu porque ignorou os muitos sintomas de saúde deficiente, sobretudo a quantidade de gordura no seu abdômen.

Mas eu tive sorte. Quando estava na Reserva da Marinha, os princípios da boa forma física me foram incutidos durante todo o período de treinamento. Na *Men's Health*, aprendi sobre a importância da nutrição apropriada e o perigo de carregar tanta gordura na barriga.

Essa gordura – a que aumenta a cintura – é a mais perigosa entre todas as que estão presentes no corpo, e é por isso que neste livro enfatizo a necessidade de perdê-la. Eliminá-la corresponde a mais tempo de vida. A gordura da barriga é classificada como visceral, isto é, está localizada por trás da parede abdominal e cerca os órgãos internos. Como estabelece uma via expressa para o coração e outros órgãos importantes, ela pode matar.

Se você quer mudar o corpo para melhorar a saúde, a aparência, o desempenho atlético ou a atração sexual, a Dieta do Abdômen oferece uma promessa simples: seguindo o programa, transformará seu corpo de tal forma que poderá alcançar todos esses objetivos. Como benefício extra, esta dieta fará mais do que apenas melhorar sua vida: também vai salvá-la.

Quando você descobrir tudo o que pode ganhar com este programa, ficará evidente o que há de errado com a maioria das outras dietas: elas se concentram no que deve ser perdido. Creio que há uma razão psicológica fundamental para o fracasso de muitas delas: ninguém tem motivação para perder. Não gostamos de perder nenhuma oferta no supermercado. Não gostamos de perder na aparência. Não gostamos de perder em coisa nenhuma. De certa forma, não apreciamos nem perder peso porque nos foi vendida a idéia de que maior é melhor. Em vez disso, estamos programados para ganhar. Queremos ganhar a melhor forma física. Queremos ganhar força. Queremos acrescentar alguma coisa à nossa vida, e não subtrair. Desejamos vencer – e ver os resultados.

Portanto, considere a Dieta do Abdômen uma mudança na maneira como você pensa sobre seu corpo e o emagrecimento. Este programa se concentra no que é possível ganhar e de que modo ganhar. Como resultado dessas conquistas – abdômen definido, tônus muscular, saúde, excelente vida sexual (falarei mais a respeito depois) –, você vai se livrar sem esforço da gordura corporal e mudar sua forma física para sempre.

Nenhum programa de perda de peso dá certo sem uma boa nutrição. Por isso, a alimentação é o principal foco da Dieta do Abdômen. Você aprenderá o que comer e como comer para fazer com que seu organismo queime gordura rapidamente. Além disso, saberá como controlar os desejos que ameaçam aumentar sua cintura. O programa gira em torno de "11 Alimentos Poderosos" (o que não significa que você deva se restringir a eles), que estão incluídos entre as melhores fontes de proteína, fibras e todos os outros ingredientes e nutrientes que ajudam a combater a gordura. Seguir a dieta com base nesses alimentos fará com que desenvolva um novo corpo durante o processo.

Mas este programa de perda de peso alcança outro nível. Embora a nutrição continue a ser um dos principais componentes da maioria das dietas, muitas delas focalizam apenas a mudança dos hábitos alimentares, isto é, cortar carboidratos, acrescentar sopa de repolho, comer em um restaurante natural duas vezes por dia, etc. Com isso deixam de reconhecer um componente crucial no controle do peso: o fato de que o corpo possui um mecanismo natural de queima de gordura...

Os músculos.

Eles aceleram o processo de queima de gordura em termos exponenciais: cerca de 500g de músculos exigem que o corpo queime até 50 calorias extras por dia só para mantê-los. Agora, pense no que acontece quando meros 3kg de músculos são acrescentados ao longo de um programa de dieta. O corpo precisará de 300 calorias extras por dia apenas para alimentá-los; em suma, você vai se livrar de praticamente 500g de gordura a cada 10 dias sem fazer nada (e não estão incluídos os ganhos que terá mudando a alimentação). Quando estiver combinando os exercícios com os alimentos certos – os que mais promovem o desenvolvimento muscular, os que o mantêm saciado e os que lhe proporcionam um suprimento bem equilibrado de nutrientes –, terá atingido seu melhor momento, realizando exatamente o que este programa propõe.

Estará transformando a gordura em músculos.

Isso significa que a Dieta do Abdômen o deixará corpulento, com músculos enormes como os de um fisiculturista? Claro que não. Esta dieta e o Programa de Exercícios que a acompanha enfatizam um corpo esguio e o tônus muscular, e não músculos volumosos.

Voltando à questão do investimento, pense nos seus músculos como juros compostos. Se você aplicar 100 reais em um fundo de alta rentabilidade e acrescentar um pouco mais a cada mês, o investimento vai crescer até alcançar meio milhão de reais ou mais. Mas você próprio terá investido apenas uma fração do dinheiro. São os juros compostos que lhe permitem obter ganhos financeiros mais espetaculares.

O mesmo conceito se aplica ao seu corpo. Invista em um pequeno acréscimo de músculos nas próximas seis semanas, comendo os alimentos certos e seguindo o Programa de Exercícios de desenvolvimento muscular e queima de gordura. O resultado será um corpo esguio e forte que pode durar uma vida inteira, pois seus novos músculos vão sempre dissolver gordura para poderem sobreviver.

Prefácio: a palavra "dieta" soa como um palavrão

Com toda a sinceridade, detestei ter que dizer que este é um livro de dieta. Por um motivo: a palavra "dieta" foi distorcida de tal maneira que passou a representar uma coisa que alguém adota temporariamente – você "está" de dieta. Mas quem está de dieta acaba saindo dela. E é por isso que a maioria desses regimes alimentares não funciona.

Quase todos eles estabelecem que é preciso comer menos ou restringir o consumo de determinados tipos de alimentos. A maior parte deles dá certo a curto prazo: quando a ingestão de calorias é reduzida, o corpo passa a queimar as reservas, a fim de se manter vivo. O resultado é a perda de peso. E o problema é exatamente esse. A primeira coisa que o organismo faz quando há uma deficiência de ingestão de calorias é descartar o tecido corporal cuja manutenção exige mais calorias, ou seja, os músculos. Assim, em uma dieta pobre nesses alimentos, o corpo queima músculos e tenta acumular gordura. Claro que você vai emagrecer e eventualmente também perderá gordura, mas quando "sair" da dieta começará a engordar de novo. E adivinhe que tipo de peso vai ganhar? Gordura pura. Isso ocorre porque você ensinou ao seu organismo uma dura lição: ele precisa se manter atento a períodos potenciais de baixas calorias no futuro. Desse modo, é melhor que ele comece a acumular gordura para qualquer emergência.

Como você também queimou valiosas calorias dos músculos, é provável que fique mais gordo do que era antes. Por isso as pessoas que fazem uma dieta após a outra não apenas não emagrecem como também engordam.

A Dieta do Abdômen não é um mero programa rápido e inconseqüente de manutenção do peso. Claro que você vai emagrecer, perderá peso bem depressa. Mas queimará gordura, e não músculos. E manterá o novo peso pelo resto da vida. Além disso, seguirá os princípios da Dieta do Abdômen para sempre, o que corresponde a comer muito dos melhores alimentos da maneira mais eficiente. Portanto, divirta-se com a Dieta do Abdômen. E vamos esquecer que a palavra "dieta" pode ser vista por algumas pessoas como um autêntico palavrão.

Adoro este programa porque sei que ele funciona. Ao longo de seis semanas, você poderá perder até 10kg de gordura (grande parte nas duas primeiras semanas, especialmente na barriga) e ganhar 2 a 4kg de músculos. O mais importante, no entanto, é que terá mudado o formato do seu corpo. Algumas pessoas terão resultados ainda mais espetaculares (veja na página 36 a história de Bill Stanton, que emagreceu 15kg com a dieta e disse adeus a metade da sua gordura corporal).

A Dieta do Abdômen inclui os três componentes de todo regime bem-sucedido de transformação do corpo: nutrição, exercícios e princípios motivacionais para seguir adiante. Eu a projetei para que você a mantenha com facilidade, mesmo que já tenha tentado e fracassado com outras dietas no passado. É fácil segui-la porque:

- Cada componente da dieta e do Programa de Exercícios é rápido, simples e flexível o suficiente para que você possa incluí-lo na sua vida sem nenhuma dificuldade.
- Todas as metas podem ser alcançadas.
- Cada princípio está apoiado em uma pesquisa científica séria.

Esta dieta mudará a maneira como você pensa em relação ao seu corpo. É o primeiro programa a contar não apenas as calorias que seu organismo absorve como também as que ele queima. Com base nas pesquisas mais modernas de nutrição e exercícios, mostrarei como recondicionar seu corpo para queimar calorias mais depressa e com mais eficiência – até mesmo enquanto você dorme –, além de concentrar as refeições nos alimentos que o ajudam a manter acesas as fornalhas que queimam calorias.

Ao longo do livro, eu o apresentarei aos princípios da Dieta do Abdômen e como seguir o plano de seis semanas. Também explicarei o Programa de Exercícios (que não precisa começar antes da terceira semana) e darei instruções sobre a forma de praticá-los e fazer as refeições. (Não se preocupe: se você é capaz de usar um liquidificador, então consegue preparar os Alimentos Poderosos.)

Para mantê-lo motivado, incluí histórias da vida real de homens e mulheres que reconhecem que a Dieta do Abdômen foi o fator fundamental para mudar seus corpos e suas vidas – para não mencionar o tamanho das suas calças.

A TABELA BÁSICA DA DIETA DO ABDÔMEN

ESTE GUIA RESUME OS PRINCÍPIOS da Dieta do Abdômen, o programa de seis semanas para perder a barriga e se manter esguio pelo resto da vida.

ASSUNTO	NORMA
Número de refeições	Seis por dia, espaçadas de forma relativamente regular. Faça um pequeno lanche duas horas antes das refeições maiores.
Os 11 Alimentos Poderosos da Dieta do Abdômen	Baseie a maioria das suas refeições nestes 11 grupos de alimentos. Cada refeição deve ter pelo menos dois itens desta lista. Amêndoas e outras nozes Aveia instantânea (sem adoçante, sem sabor artificial) Azeite extravirgem de oliva Espinafre e outras verduras Frutas vermelhas, como morango, framboesa e amora Feijões e leguminosas Laticínios – leite semidesnatado ou desnatado, iogurte e queijo com pouca gordura (cottage) Ovos Pães e cereais integrais Peru e outras carnes magras *Whey* (proteína em pó do soro do leite, bastante concentrada e pura, encontrada em lojas de produtos naturais e de suplementos vitamínicos)
Armas secretas	Cada um dos 11 Alimentos Poderosos foi escolhido por suas armas secretas eficientes e saudáveis. São os nutrientes que o ajudarão a aumentar a potência das substâncias naturais que queimam a gordura, o protegerão de doenças e lesões e o manterão esguio e em boa forma física pelo resto da vida.

ASSUNTO	NORMA
Ingredientes nutricionais que devem ser enfatizados	Proteínas, gorduras monoinsaturadas e poliinsaturadas, fibras e cálcio.
Ingredientes nutricionais que devem ser limitados	Carboidratos refinados (ou carboidratos com alto índice glicêmico), gorduras saturadas e gorduras trans.
Álcool	Limite-se a dois ou três drinques por semana para aumentar ao máximo os benefícios deste programa.
O alimento mais poderoso	Vitaminas feitas no liquidificador. A combinação do cálcio e da proteína do leite, do iogurte e do *whey* com as fibras da aveia e das frutas faz com que esta seja uma das opções mais fáceis da dieta e também uma das que dão maior sensação de saciedade. Tome com freqüência.
A quebra da dieta	Uma refeição por semana – coma qualquer coisa que você quiser.
Programa de Exercícios	Opcional para as duas primeiras semanas. Da terceira semana até à sexta, você fará um exercício de 20 minutos três vezes por semana. Essas atividades enfatizam o treinamento com pesos (de força), caminhadas rápidas e alguns abdominais.
Exercícios em casa	Os exercícios feitos na academia e em casa são detalhados e à prova de qualquer desculpa.
Exercícios abdominais	São realizados no início de dois dos treinamentos com pesos. Um exercício para cada uma das cinco partes dos abdominais.

| CAPÍTULO 1 |

Livre-se da gordura, livre-se dos problemas

SEIS MANEIRAS DE PERDER A BARRIGA QUE VÃO MELHORAR RADICALMENTE SUA APARÊNCIA E A FORMA COMO VOCÊ SE SENTE E VIVE

EM ACADEMIAS, PRAIAS, QUADRAS DE ESPORTES E QUARTOS, nossos corpos estão sendo constantemente avaliados. E é o que nós também fazemos diante de espelhos e nas balanças de banheiro. Mas vamos deixar de lado esses atos de vaidade e nos concentrar na medição por um conjunto diferente de critérios: o número de células de gordura.

Cada uma das células de gordura está cheia de substâncias gordurosas chamadas lipídios. Quando você se empanturra de doces, batata frita e chocolate, essas células podem aumentar até 1.000 vezes de tamanho. No entanto, elas só conseguem se expandir até determinado ponto. Depois que alcançam seu limite físico, começam a se comportar como certos programas de televisão: criam subprodutos, ou seja, você ganha duas ou mais pelo preço de uma. Mas há um problema: essas células mantêm a política de não aceitar devolução. Se você as adquire, tem que ficar com elas. Portanto, quando engorda e dobra a quantidade de células de gordura no seu corpo, também está duplicando a dificuldade que terá para perder os lipídios que elas contêm.

Muitas pessoas tendem a armazenar gordura na barriga, que é por onde começam os perigos que o excesso de peso causa à saúde. A gordura abdominal não fica parada sem fazer nada: ela é ativa. Funciona como um órgão isolado, liberando substâncias que podem ser prejudiciais para o organismo. Por exemplo, secreta ácidos graxos livres, que afetam a capacidade de dissolver a insulina (e o excesso desse hormônio pode causar diabetes). Além disso, emite substâncias que aumentam o risco de infartos e derrames e elevam a quantidade de cortisol (altos níveis desse hormônio estão associados a diabetes, obesidade e pressão alta). A gordura abdominal é responsável por muitos problemas de saúde porque se localiza a pouca distância do coração, do fígado e de outros órgãos, pressionando-os, alimentando-os com toxinas e interferindo nas suas funções diárias.

Agora visualize uma pessoa com o abdômen definido. É um símbolo de força e saúde. É esguia, forte, fica bem de roupa e melhor ainda sem roupa. Os músculos abdominais esculpidos têm sido o parâmetro da boa forma física em muitos aspectos. Mas também indicam outra coisa: são a marca registrada de alguém que tem o controle do seu corpo e, portanto, da sua saúde.

Embora algumas pessoas possam pensar que o empenho em ter um abdômen definido seja algo superficial, não há nada de errado com esse objetivo. É evidente que músculos abdominais trabalhados deixam qualquer um com uma boa aparência – e causam admiração. (Atenção, homens: em uma pesquisa nos Estados Unidos, 32% das mulheres apontaram os abdominais como os músculos que mais as atraem; em segundo lugar, apareceram os bíceps, com 17%.) Isso ocorre por um simples motivo: quem tem os abdominais definidos está dizendo ao mundo que é uma pessoa disciplinada, motivada, confiante, saudável; portanto, um parceiro ou parceira desejável. Às vezes um pouco de vaidade pode ser bom para a saúde.

Em um estudo canadense realizado com mais de oito mil participantes, os pesquisadores constataram que, ao longo de 13 anos, a taxa de mortalidade entre os que tinham músculos abdominais mais fracos era duas vezes maior do que entre as pessoas que apresentavam um abdômen definido. Essa pesquisa confirma a idéia de que abdominais fortes fazem mais do que atrair olhares na praia. Na verdade, eles controlam muito mais o corpo do que muita gente supõe. Para resumir, aqui estão meus seis motivos básicos para garantir que sua vida se tornará melhor com um abdômen trabalhado.

Os músculos abdominais o ajudarão a viver mais

MUITOS ESTUDOS COMPROVAM que as pessoas com maior volume de gordura na cintura correm mais riscos de contrair doenças fatais. As provas não poderiam ser mais convincentes. Segundo os Institutos de Saúde dos Estados Unidos, uma cintura maior do que 1m para os homens indica uma probabilidade considerável de problemas cardíacos e diabetes. Pesquisas canadenses sobre a saúde do coração publicadas em 2001 analisaram 9.913 pessoas dos 18 aos 74 anos de idade. Concluíram que um homem, para ter uma saúde melhor, precisa manter a cintura em torno dos 90cm (um pouco menos para os mais jovens, um pouco mais para os mais velhos). Quando essa medida é ultrapassada, ele tem mais chances de desenvolver dois ou mais fatores de risco para doenças cardíacas. A mesma triste verdade se aplica ao sexo oposto. Uma mulher com um abdômen volumoso está mais sujeita a apresentar os mesmos problemas de saúde.

Claro que o desenvolvimento dos músculos abdominais não garante que alguém ficará longe dos hospitais para sempre, mas estudos demonstram que isso reduz a gordura corporal e diminui de forma considerável os fatores de risco associados a muitas doenças, não apenas às do coração. Por exemplo, segundo um estudo sueco, a incidência de câncer entre obesos é 33% maior do que entre pessoas magras. A Organização Mundial da Saúde calcula que até 1/3 do câncer de cólon, dos rins e do aparelho digestivo é causado por excesso de peso e inatividade. E o acúmulo excessivo de gordura na barriga é especialmente perigoso. O câncer tem origem em mutações que ocorrem nas células quando estas se dividem. O tecido gorduroso do abdômen faz com que o corpo produza hormônios que estimulam a divisão celular. Portanto, mais divisões de células correspondem a um número maior de oportunidades para mutações, o que aumenta a probabilidade de ocorrência de câncer.

Uma cintura fina também evita um dos mais importantes problemas de saúde: a diabetes. No Brasil, um estudo realizado pelo Ministério da Saúde em 2001 apontou a existência de 11 milhões de diabéticos, 11% dos quais acima dos 40 anos. A gordura, em especial a gordura na barriga, é a grande responsável por esse mal. Há um conceito equivocado de que a única causa da diabetes é o consumo excessivo de açúcar refinado, do tipo que se encontra em chocolate e sorvete. No entanto, as pessoas tornam-se diabéticas depois de passarem anos e anos ingerindo alimentos ricos em carboidratos – como pão branco, massas e purê de batata –, que são facilmente convertidos em açúcar. Comer uma cesta de pão e uma tigela de macarrão produz o mesmo efeito que a ingestão de uma caixa de sorvete: inunda o corpo com calorias de açúcar. As que não são queimadas transformam-se em células de gordura que fazem a barriga aumentar. Elas podem desencadear uma doença que, se não for tratada, é capaz de provocar impotência, cegueira, infarto, derrame, amputação e morte.

A obesidade da parte superior do corpo é também o fator de risco mais expressivo para a apnéia do sono, causada por um colapso do tecido mole no fundo da garganta que bloqueia a passagem de ar durante o sono. Nesse mo-

HISTÓRIA DE SUCESSO DA DIETA DO ABDÔMEN

"Perdi 12kg em seis semanas!"

Nome: Paul McComb
Idade: 28 anos
Altura: 1,75m

Peso no início: 82kg
Seis semanas depois: 70kg

Depois que concluiu a universidade e engordou um pouco, Paul McComb achava que se manteria corpulento pelo resto da vida. Mas, quando entrou em uma loja de nutrição e subiu em uma balança que indicava seu peso (82kg) e o quanto deveria pesar (70kg), alguma coisa mudou: sua maneira de pensar.

McComb iniciou a Dieta do Abdômen e perdeu 12kg.

Ele efetuou mudanças importantes, como a eliminação das quatro ou cinco Coca-Colas que tomava todos os dias e do saco de batata frita que comia à meia-noite. Diz que a transição foi fácil porque a Dieta do Abdômen lhe permitia comer bastante: "Comendo seis vezes por dia, eu não tinha mais necessidade da batata frita para matar a fome", explica. "Antes eu não comia nada durante o dia inteiro. Depois que passei a me alimentar ao longo do dia, deixei de sentir fome à noite."

Para McComb, a chave do seu sucesso foi planejar as refeições usando os Alimentos Poderosos da Dieta do Abdômen. Assim, resistia perfeitamente às tentações. Comia peru no pão de cereais no almoço, massa de trigo integral ou frango no jantar e mais tarde fazia um lanche. Ficou feliz por não ter que contar calorias, vigiar os carboidratos nem renunciar aos alimentos que adora. "A compreensão do conceito dos Alimentos Poderosos e de como eles operam juntos me ajudou a comer – e muito – e ainda assim perder peso."

McComb, que fazia os exercícios deste programa em casa, com halteres, garante que os princípios da Dieta do Abdômen farão parte do seu estilo de vida para sempre. "Eu me sinto muito melhor agora. Também estou mais confiante porque fixei um objetivo e consegui alcançá-lo. Até minha pele está um pouco mais clara. Durmo melhor, acordo mais descansado, e minhas olheiras estão começando a desaparecer. Tudo parece muito melhor na minha vida. Tenho certeza de que alguns dos meus amigos estão cansados de ouvir quantos quilos eu perdi."

mento, o cérebro emite sinais para que a pessoa acorde e recomece a respirar. Quando ela volta a dormir, o processo se repete. Isso pode ocorrer centenas de vezes durante a noite, deixando-a sempre sonolenta e incapaz de ter o repouso de que seu corpo precisa. A pessoa não se lembra de ter acordado tantas vezes, apenas se pergunta por que continua a se sentir cansada depois de oito horas de sono. A gordura impede que os músculos se dilatem e ventilem os pulmões, obrigando-os a se esforçar mais para obter ar em quantidade suficiente.

Tudo isso pode criar um ciclo terrível: a gordura abdominal prejudica a qualidade do sono, e um sono precário faz com que a pessoa se arraste cansada durante o dia. Com isso, o corpo anseia por algo que lhe dê energia rapidamente, e assim ela acaba comendo uma bobagem de alto valor calórico. Esse alimento extra estimula a produção de mais gordura abdominal, que estimula... ora, você já conhece o quadro.

Eu poderia encher todo o livro com as provas, mas resumirei a mensagem em uma única frase: uma cintura mais fina representa menos riscos para a saúde.

Você vai melhorar sua vida sexual

A FORÇA DO IMPULSO QUE VOCÊ realiza durante o sexo não vem das pernas, mas dos músculos centrais, localizados no torso e nos quadris. Músculos abdominais mais fortes lhe proporcionam vitalidade e energia para experimentar novas posições, permanecer firme nas antigas e manter o controle do movimento, que é importante para evitar a ejaculação precoce e para o prazer de ambos.

Embora haja muitas causas para os problemas de disfunção erétil, uma das principais pode ser comparada a uma simples questão de controle de tráfego. Os alimentos que obstruem as artérias não fazem discriminação entre elas. Quando um homem tem excesso de peso, a gordura que obstrui os vasos sangüíneos que levam ao coração e ao cérebro também faz exatamente isso com os vasos que levam aos órgãos genitais. Formam-se placas nos lados internos das artérias que estreitam as passagens pelas quais o sangue deve fluir. Os vasos sangüíneos podem ficar tão obstruídos na área pélvica que impossibilitem a passagem de um suprimento suficiente de sangue para permitir a ereção. Não é necessário ser um mago em cálculo para compreender esta equação: o aumento da gordura é igual à diminuição do fluxo de sangue, enquanto a redução do fluxo de sangue é igual a uma ereção mais flácida (ou nenhuma). E ereções mais flácidas (ou nenhuma) correspondem a uma vida angustiada.

A obstrução dos vasos sangüíneos causa o mesmo efeito nas mulheres, reduzindo a lubrificação, a sensibilidade e o prazer sexual.

Seu corpo ficará protegido de doenças

NAS ESCOLAS DO MEU PAÍS ENSINA-SE a história da vaca da Sra. O'Leary, que deu um passo em falso e tropeçou. Com isso, derrubou um lampião de óleo que

---

Meu bem, para onde foi nosso almoço?

Uma refeição não termina no estômago. Depois de recebê-la, o corpo começa a distribuir as calorias para os órgãos famintos de nutrientes, desenvolvendo músculos e também, é claro, fazendo a barriga crescer. Michael Jensen, professor de Medicina na Divisão de Endocrinologia, Diabetes e Metabolismo da Clínica Mayo, calculou a maneira como o corpo processa os alimentos.

10% para os rins. Esses órgãos trabalham para que o sangue receba as quantidades certas de água e nutrientes.

5-10% para o coração. O coração obtém a maior parte da sua energia da gordura, que a longo prazo lhe proporciona mais energia para que ele realize seu esforço do que a glicose.

25% para o fígado, pâncreas, baço e glândulas supra-renais. Depois que o fígado extrai os nutrientes, ele armazena as calorias em excesso, como o glicogênio.

25% para os músculos. Os músculos exigem uma fonte constante de energia apenas para manter sua massa. Assim, quanto mais músculos você tem, mais calorias consome.

10% para o cérebro. A glicose é o combustível do cérebro. Não fica armazenada por muito tempo, e é por isso que as pessoas às vezes se sentem tontas quando pulam uma refeição.

10% para a termogênese. O simples ato de decompor os alimentos ingeridos consome um décimo das calorias.

2-3% para células gordurosas. As células gordurosas crescem e vão se dividindo à medida que mais calorias são acumuladas.

10% – ninguém sabe para onde. Seu corpo é um lugar imenso, e o destino de algumas calorias permanece inexplicado.

provocou o Grande Incêndio de Chicago, destruindo a maior parte da cidade. Essa tragédia ocorreu em 1871, quando a maioria das construções ainda era de madeira. Hoje, um desastre assim é inconcebível – e não apenas porque ninguém guarda mais as vacas dentro de casa, mas porque a infra-estrutura das cidades atuais é de aço. Um aço que resiste ao fogo, a terremotos e a furacões.

Pense no seu abdômen como a infra-estrutura do corpo. Você não quer um núcleo constituído de madeira nem de palha, exposto a todos os perigos. Deseja que seja feito de aço e lhe proporcione uma proteção que nunca poderá ser oferecida por uma barriga de gordura.

Considere um estudo do Exército dos Estados Unidos que relacionou músculos abdominais bem desenvolvidos à prevenção de lesões. Os pesquisadores submeteram 120 soldados da artilharia ao teste-padrão de capacidade física do Exército – com flexões, abdominais e uma corrida de 3km – e acompanharam as lesões na parte inferior do corpo (dores lombares e tendinite) durante um ano de treinamento. Os 29 homens que conseguiram fazer mais abdominais (73 em dois minutos) apresentaram uma probabilidade cinco vezes menor de sofrer essas lesões do que os 31 soldados que mal completaram 50 abdominais. Mas esse não é o dado mais surpreendente. Os participantes que mostraram um bom desempenho nas flexões e na corrida de 3km não adquiriram a mesma proteção. Isso sugere que a força da parte superior do corpo e a resistência cardiovascular contribuíram pouco para manter a integridade dos corpos. Era a força abdominal que oferecia a proteção. Ao contrário dos outros músculos, um núcleo abdominal forte afeta o funcionamento de todo o corpo. Tanto faz se você esquia, veleja, rola pelo chão com as crianças ou se diverte com um parceiro, os músculos abdominais são os mais importantes para mantê-lo a salvo de lesões. Quanto mais fortes os abdominais, mais força e proteção você tem.

A Dieta do Abdômen fortalece as costas

UM AMIGO MEU TINHA PROBLEMAS NAS COSTAS duas ou três vezes por ano. Sempre acontecia da maneira mais simples possível: por exemplo, ao dormir em má posição ou se levantar de uma cadeira muito depressa. Certa vez, ele sofreu uma distensão ao se inclinar em direção ao banco traseiro do carro para pegar um objeto que a filha deixara cair. Em outra ocasião, estava diante do mictório e sentiu uma pontada de dor tão intensa que o fez desabar no chão. (Imagine só!) Na verdade, a causa do problema não estava nas costas, mas nos seus abdominais fracos. Se meu amigo fizesse exercícios regulares, poderia sair da lista dos milhões de pessoas que sofrem de dores nas costas. (Ele começou a Dieta do Abdômen e, em poucas semanas, as dores praticamente desapareceram.)

Como a maior parte das dores nas costas está relacionada com músculos fracos no tronco, manter a área da cintura forte pode ajudar a resolver o problema. Os músculos que cruzam a região da cintura não funcionam isoladamente – ligam-se através do tronco como uma teia de aranha, chegando até mesmo a envolver a coluna. Quando os abdominais são fracos, os músculos nas nádegas (os glúteos) e ao longo da parte posterior das pernas (tendões do jarrete) têm que compensar o trabalho que os abdominais deveriam ter realizado. O efeito, além do esforço excessivo que os músculos precisam realizar para efetuar a compensação, é a desestabilização da coluna, o que acaba causando dores e distensões nas costas e até problemas mais graves.

Diminua suas dores e tensões

À MEDIDA QUE A PESSOA ENVELHECE, é comum que sinta dores nas articulações. O mais provável é que sejam nos joelhos, embora também possam ocorrer nos pés e tornozelos. Mas talvez a fonte dessas dores não seja um problema nas articulações. Elas podem ter origem em músculos abdominais fracos, ainda mais no caso dos desportistas – do aplicado jogador de tênis ao atleta de fim de semana. A prática do esporte faz com que os músculos abdominais ajudem a estabilizar o corpo durante os movimentos de arrancar e parar, como acontece quando um jogador muda de direção no campo de futebol ou na quadra de tênis. Quando os músculos abdominais são fracos, as articulações absorvem todo o impacto desses movimentos. É mais ou menos como o princípio da cama elástica. Sempre que a pessoa pula no meio, a lona absorve o impacto e a projeta de volta no ar. Porém, se ela pular perto da armação, poderá arrebentar essa estrutura. O corpo é uma espécie de cama elástica em que os músculos abdominais são o meio da lona e as articulações são os suportes que prendem a lona na armação. Se os abdominais são bastante fortes para absorver um impacto, o corpo funciona bem; caso contrário, a força exerce mais pressão sobre as articulações do que elas podem suportar.

Benefícios similares de proteção também se estendem às pessoas que não são atletas. Um estudo holandês realizado com quase seis mil homens revelou que os participantes com cintura acima de 100cm apresentavam mais probabilidade de ter a doença de Sever, que causa dor no calcanhar, e a síndrome do túnel do carpo, responsável por dores na mão e no punho. Outro estudo constatou que 70% dos portadores dessa síndrome tinham excesso de peso ou eram obesos.

As conseqüências da gordura

As pessoas com excesso de peso têm:

- **50% a mais de probabilidade de apresentar doenças do coração (obesos: até 100%)**
- **Até 360% a mais de probabilidade de desenvolver diabetes (obesos: até 1.020%)**
- **16% a mais de probabilidade de sofrer um primeiro infarto (obesos: 49%)**
- **50% a mais de probabilidade de ter colesterol total acima de 250 (obesos: até 122%)**
- **50% a mais de probabilidade de apresentar disfunção erétil (obesos: 200%)**
- **14% a menos de probabilidade de atrair o sexo oposto (obesos: 43%)**
- **37% a mais de probabilidade de ir à farmácia mais de uma vez por ano (obesos: 105%)**
- **19% a mais de probabilidade de permanecer mais tempo no hospital (obesos: 49%)**
- **20% a mais de probabilidade de ter asma (obesos: 50%)**
- **Até 31% a mais de probabilidade de morrer de qualquer causa (obesos: 62%)**
- **19% a mais de probabilidade de morrer em acidente de carro (obesos: 37%)**
- **120% a mais de probabilidade de desenvolver câncer no estômago (obesos: 330%)**
- **Até 90% a mais de probabilidade de ter cálculos biliares (obesos: até 150%)**
- **590% a mais de probabilidade de apresentar câncer no esôfago (obesos: 1.520%)**
- **35% a mais de probabilidade de ter câncer no rim (obesos: 70%)**
- **14% a mais de probabilidade de sofrer de artrite degenerativa (obesos: 34%)**
- **70% a mais de probabilidade de desenvolver pressão alta (obesos: até 170%)**

Torne-se um vencedor

SE VOCÊ PRATICA QUALQUER TIPO DE esporte que exija movimentos – futebol, vôlei, basquete, corpo-a-corpo entre os lençóis –, os grupos essenciais de músculos envolvidos não são os peitorais, os bíceps nem a musculatura das pernas. São os músculos centrais, no tronco e nos quadris. Desenvolvê-los proporciona força. Enrijece a musculatura em torno da cintura, o que garante a quantidade certa de apoio sempre que necessário. Assim, se você não consegue arremessar uma bola a uma longa distância, os músculos abdominais fortes vão melhorar seu desempenho. Caso pratique esportes em que é preciso arrancar e parar de repente, como tênis e basquete, os abdominais também podem ser bastante úteis. Embora os comentaristas esportivos gostem de dizer que a velocidade é o elemento principal para que alguém se destaque em grande parte dos esportes, esse não é o segredo do sucesso atlético. O segredo está em acelerar e desacelerar. Com que rapidez um atleta pode sair de uma posição estacionária no ponto A até parar no ponto B? Seu controle não parte das pernas, mas dos músculos abdominais. Quando os pesquisadores procuraram identificar quais músculos eram usados primeiro em movimentos desse tipo durante a prática esportiva, verificaram que eram os abdominais. Portanto, quanto mais fortes eles forem, mais depressa você alcançará a bola.

• • •

Esses são os principais motivos para fazer a Dieta do Abdômen. O melhor motivo, porém, é bem mais simples. O programa é fácil de seguir, não exige sacrifícios, permite que você coma todos os alimentos que quiser e faz com que pareça e se sinta melhor dia após dia. É projetado para que você perca peso das maneiras mais fáceis possíveis: ajustando a fornalha interna de queima de gordura, indicando os alimentos que impulsionam o organismo a começar a descartar a gordura e transformando seu corpo em uma máquina esguia e eficiente de queimar calorias.

BOLETIM DE SAÚDE DA DIETA DO ABDÔMEN

Afinal, o que é... pressão alta?

Você sabe que a pressão alta (hipertensão) é prejudicial, mas é provável que tenha alguma dificuldade para entender como ela se processa. Quando as pessoas pensam em pressão alta, a maioria delas raciocina em termos de uma mangueira de jardim: se a pressão for muito forte, a mangueira estoura, a menos que se abra a válvula. Esse modelo, no entanto, é muito simples. O melhor é pensar no sistema circulatório como uma espécie de canal de navegação com várias comportas que levam o sangue para os lugares em que ele é necessário. A gravidade atua no sangue da mesma forma que no resto do corpo: puxando-o para baixo. Imagine-se saindo da cama de manhã e ficando de pé. A gravidade quer levar para os pés o sangue distribuído por todo o seu corpo. Você, por outro lado, gostaria que ele fosse bombeado para o cérebro, pois isso o ajudaria a descobrir onde deixou as chaves do carro.

No momento certo, as artérias na parte inferior do corpo se contraem, enquanto o coração passa a bombear mais sangue. O resultado é instantâneo: a pressão arterial aumenta e o sangue flui para o cérebro. Ah, lá estão as chaves... no quarto das crianças, onde você as deixou.

É um sistema engenhoso, mas que pode se deteriorar com a maior facilidade. Quando alguém acumula o chamado pneu em torno da cintura, seu coração bombeia com mais vigor, a fim de forçar o sangue por todo esse novo tecido gorduroso. Sempre que a pessoa come batata frita e outros alimentos com bastante sal, o sangue retém água, a fim de diluir o excesso de cloreto de sódio, o sal de cozinha, e assim o volume geral de sangue aumenta. Nas ocasiões em que ela forra as artérias com placas resultantes de muitas refeições gordurosas, a pressão se eleva, pois a mesma quantidade de sangue precisa se espremer através de canais que acabaram de se tornar mais estreitos. Todas as vezes em que ela deixa as pressões do dia atormentarem sua noite, o cérebro libera hormônios do estresse, que mantêm o corpo em estado permanente de ansiedade, no dilema de lutar ou fugir, também forçando o coração a bombear com mais força. A alimentação com muito sal e gordura combina-se a um excesso de estresse, criando uma situação perigosa.

O coração continua a bombear, e os vasos sanguíneos ainda se contraem e se dilatam para que o sangue possa chegar aonde é necessário. Quando a pressão permanece alta por anos a fio, os vasos de paredes finas no cérebro podem se romper sob pressões extremas. Isso causa a morte das células cerebrais, isto é, o chamado derrame cerebral. A hipertensão também pode fazer com que placas de gordura se acumulem em uma das artérias do cérebro e até acarretar o bloqueio do fluxo de sangue. (A pressão alta lesiona as paredes arteriais lisas, criando pontos de ancoragem em que as placas se fixam.) Outras conseqüências do perigoso acúmulo de placas são o colapso renal e o infarto.

BOLETIM DE SAÚDE DA DIETA DO ABDÔMEN

Afinal, o que é... pressão alta? (cont.)

Há ainda o desgaste puro e simples que a pressão alta causa ao coração. Ao longo do tempo, o trabalho extra exigido pela hipertensão faz com que as paredes desse órgão se tornem mais rígidas e mais grossas. O coração passa a funcionar com menos eficiência, incapaz de bombear a quantidade necessária de sangue. O sangue pára de circular, o coração pifa e o médico registra "insuficiência cardíaca congestiva" no atestado de óbito.

Em termos ideais, a pressão deve ser de 120/80 ou mais baixa. O que esses números representam? O número maior, chamado de pressão sistólica, é a pressão gerada quando o coração bate. O número inferior é a pressão diastólica, a pressão nos vasos sangüíneos quando o coração está em repouso, entre as batidas. As leituras mais elevadas são divididas em três categorias:

- **Pré-hipertenso: sistólica 120-139 / diastólica 80-89.** O pré-hipertenso deve começar a se preocupar com a pressão, concentrando-se na dieta e nas dicas de exercícios oferecidas pelo programa deste livro. Talvez essa pessoa ainda não esteja vendo as luzes piscando no seu retrovisor neste momento, mas seu radar acaba de ser acionado. Hora de desacelerar.
- **Hipertenso do estágio I: sistólica 140-159/ diastólica 90/99.** Para a pessoa enquadrada nessa categoria, costumam ser recomendadas terapia com drogas e mudanças no estilo de vida. Seu risco de sofrer infarto ou derrame é elevado, e ela precisa de cuidados médicos.
- **Hipertenso do estágio II: sistólica 160 ou mais/diastólica 100 ou mais.** Uma terapia com drogas avançadas é quase sempre indispensável para quem apresenta esse quadro. Essa pessoa corre um alto risco de ficar incapacitada ou morrer.

Agora, tenho duas perguntas importantes a fazer. Você sabe qual é sua pressão? Se não sabe, já está se sentindo preocupado o suficiente para começar a ter cuidado? Felizmente, os Alimentos Poderosos da Dieta do Abdômen podem ser úteis, reduzindo as gorduras nocivas na sua dieta e aumentando as boas – e eliminando alguns quilos extras. O Programa de Exercícios da Dieta do Abdômen e as dicas para reduzir o estresse também proporcionam esses benefícios. (Para saber como você pode ajudar a controlar seu nível de estresse, ver "Como o estresse faz você engordar", no capítulo 10.) Enquanto isso, tente enfrentar o problema com algumas destas dicas simples:

Caia fora na segunda rodada. Faça com que o segundo drinque da noite seja a saideira. De acordo com um importante estudo publicado no *New England Journal of Medicine,* um ou dois drinques diários diminuem um pouco a pressão. Três drinques ou mais por dia, no entanto, elevam a pressão sistólica numa média de 10 pontos e a diastólica em 4. O tipo de álcool não faz diferença.

Tome mais chá. Um estudo da American Heart Association revelou que os homens que tomavam 2 xícaras de chá por dia corriam um risco 25% menor de morrer de doenças cardíacas do que aqueles que raramente tomavam chá. O motivo: os flavonóides presentes nessa bebida fazem com que os vasos sangüíneos tenham mais capacidade de relaxar e também afinam o sangue, reduzindo a coagulação.

Não se esqueça das maçãs. Homens que comem maçã com freqüência correm um risco 20% menor de desenvolver uma doença cardíaca do que os que não ingerem a fruta.

Coma frutas vermelhas frescas. Morango, framboesa e amora contêm uma grande concentração de ácido salicílico, o mesmo elemento de combate à doença cardíaca que se encontra na aspirina.

Peça atum. As gorduras de ômega-3 presentes no atum e em outros peixes, assim como no óleo de linhaça, ajudam a fortalecer o músculo cardíaco, baixar a pressão, prevenir a coagulação e reduzir os níveis de inflamações potencialmente fatais.

Faça um banquete de potássio. Corte uma banana (487mg) no seu cereal, depois asse duas batatas-doces pequenas (612mg) ou cozinhe espinafre (1 xícara de chá tem 839mg) para o jantar. Todos esses alimentos possuem bastante potássio. Estudos demonstram que não ingerir pelo menos 2.000mg de potássio por dia pode deixá-lo propenso à pressão alta. Outras boas fontes de potássio incluem passas (1 xícara tem 1.086mg), tomate (1 xícara de molho tem 811mg) e papaia (1 unidade tem 781mg desse mineral).

Tome suco de laranja enriquecido com cálcio. Aumentar o cálcio na dieta pode reduzir a pressão. Você obterá também um benefício da vitamina C. Segundo uma pesquisa realizada na Inglaterra, as pessoas com mais vitamina C na corrente sangüínea têm 40% menos probabilidade de morrer de doenças cardíacas.

Coma sementes de abóbora. Em 28g de sementes de abóbora há 151mg de magnésio, mais de 1/3 da ingestão diária recomendada. As deficiências de magnésio têm sido associadas à maioria dos fatores de risco para as doenças cardíacas, inclusive pressão alta, níveis elevados de colesterol e crescente acúmulo de placas nas artérias. Outras grandes fontes: linguado (170mg em 200g de peixe), arroz integral (1 xícara tem 84mg), grão-de-bico (1 xícara tem 79mg), castanha-de-caju (28g tem 74mg) e alcachofras (1 unidade tem 72mg).

Troque o óleo. Pesquisadores na Índia revelaram que os homens que substituíram os óleos de milho e de outros vegetais por gorduras monoinsaturadas (azeite extravirgem de oliva ou, no caso dessa pesquisa, óleo de semente de gergelim) baixaram a pressão sangüínea em mais de 30 pontos em apenas 60 dias, sem fazer nenhuma outra mudança na sua dieta.

O KIT INICIAL DA DIETA DO ABDÔMEN

ESTA LISTA DE COMPRAS simples contém as indicações do que você precisa para iniciar a Dieta do Abdômen e o Programa de Exercícios da Dieta do Abdômen.

COMPRAR UMA VEZ

Liquidificador

Linhaça moída (250g)

Multivitaminas, , 1 pote

LISTA BÁSICA DE COMPRAS
OS 11 ALIMENTOS PODEROSOS DA DIETA DO ABDÔMEN E ALIMENTOS RELACIONADOS

Amêndoas, picadas ou inteiras

Aveia instantânea (sem adoçante, sem sabor artificial)

Azeite de oliva extravirgem

Espinafre, fresco ou congelado

Frutas vermelhas frescas

Feijões, à sua escolha

Laticínios – leite semidesnatado ou desnatado, iogurte light e queijo com pouca gordura (cottage ou ricota)

Ovos

Pães e cereais integrais

Peru fatiado

Whey, proteína em pó do soro do leite, recipiente de 1kg (encontrada em lojas de produtos naturais e de suplementos vitamínicos)

Mais:

Arroz de grão longo

Atum em lata

Carne moída magra

Grapefruit ou outra fruta, à sua escolha

Massa de trigo integral

Peito de frango

Peixe magro, à sua escolha

Verduras, à sua escolha

Lista de compras – Ingredientes para receitas

(Ver receitas para porções individuais nas págs. 112-129.)

Abacate

Aipo

Alface-romana

Alho

Arroz integral

Azeite extravirgem de oliva

Baguete de trigo integral

Banana

Bife de alcatra magro

Biscoitos salgados ou *croûtons*

Caldo de galinha Good light

Cebola

Cenoura-baby

Cereais em caixa

Chili em pó

Cogumelos

Condimentos italianos

Curry em pó

Farelo de trigo

Farinha de trigo integral

Feijão-branco grande

Feijão-preto

Gengibre fresco

Granola

Grão-de-bico

Ketchup

Limão e lima

Lingüiça de peru

Lombinho canadense

Maionese light

Margarina Qualy sem gordura trans

Mel

Melão-cantalupo

Milho verde

Molho de pimenta

Molho de espaguete

Molho de salada italiano com baixo teor de gordura

Molho de tabasco

Molho de tomate

Molho inglês

Ovo vermelho com ômega-3

Pão árabe de trigo integral

Pão de passas

Páprica

Passas

Peito de peru

Pimenta-jalapeno

Pimenta-de-caiena

Pimentão verde e vermelho

Queijo com gordura reduzida (cottage, requeijão, ricota, mussarela, suíço, cheddar)

Queijo parmesão

Rosbife magro, fatiado

Salsa

Sopa de cebola em pacote

Suco de laranja

Suco de limão concentrado, congelado

Suco de tomate ou V-8 (com legumes)

Tomate fresco

Tomate sem pele em lata

Tortilhas

Vinagre balsâmico

Para os exercícios em casa

(Se você freqüenta uma academia, ela deve ter todos os equipamentos necessários.)

Banco reto (opcional, mas recomendado)

Bola suíça (opcional, mas recomendada)

Colchonete para exercícios (opcional, mas recomendado)

Tênis de corrida

Um ou dois pares de halteres de peso médio (3 a 12kg para alguém habituado a fazer treinamento com pesos; carga menor para principiantes)

CAPÍTULO 2

Por que a Dieta do Abdômen? E por que agora?

ESPETACULARES DESCOBERTAS CIENTÍFICAS NA NUTRIÇÃO

NO INÍCIO DESTE LIVRO, MOSTREI DE QUE MANEIRAS a Dieta do Abdômen vai melhorar sua vida. E falei sobre a promessa exclusiva e cientificamente comprovada desta dieta: ela pode fazê-lo perder 10kg de gordura em seis semanas, começando por sua barriga. Mas os próximos passos dependem de você.

Se você não está interessado em melhorar sua vida – isto é, se a perspectiva de se tornar uma pessoa esguia, com melhor capacidade física, mais saudável, livre de dor e com mais vitalidade em termos sexuais não o atrai –, então feche este livro agora. (Depois de limpar os pingos do sorvete, é claro.) Caso não tenha o objetivo de alcançar os melhores resultados possíveis com o mínimo de esforço, este livro não é para você.

Mas, se quer promover uma mudança – e uma mudança que você poderá ver e sentir e que vai durar pelo resto da vida –, então escolheu o livro certo.

A Dieta do Abdômen é um plano simples, desenvolvido em torno de 11 Alimentos com muitos nutrientes. Quando inseridos como essenciais na sua tabela dietética, proporcionam todas as vitaminas, minerais e fibras de que você precisa para ser saudável. Ao mesmo tempo, promovem o desenvolvimento muscular e acionam os mecanismos naturais do corpo para a queima de gordura. Falarei mais sobre esses alimentos em outro capítulo, mas aqui está uma visão geral. (Diga-me se não é um esquema de refeições que você pode adotar com a maior facilidade!)

AMÊNDOAS E OUTRAS NOZES

AVEIA INSTANTÂNEA (SEM ADOÇANTE, SEM SABOR ARTIFICIAL)

AZEITE EXTRAVIRGEM DE OLIVA

ESPINAFRE E OUTRAS VERDURAS

FRUTAS VERMELHAS, COMO MORANGO, FRAMBOESA E AMORA

FEIJÕES E LEGUMINOSAS

LATICÍNIOS – LEITE SEMIDESNATADO OU DESNATADO, IOGURTE E QUEIJO COM POUCA GORDURA (COTTAGE)

OVOS

PÃES E CEREAIS INTEGRAIS

PERU E OUTRAS CARNES MAGRAS

WHEY – PROTEÍNA EM PÓ DO SORO DO LEITE

SÃO 11!

Escolhi esses alimentos pelo conteúdo natural e pela simplicidade. Todos os dias, novos livros sobre dieta e conselhos para a perda de peso passam por minha mesa. (Se você acionar um mecanismo de busca na Internet usando a palavra "dieta", vai encontrar uma quantidade enorme de títulos.) Alguns desses regimes alimentares são um tanto absurdos, mas outros parecem sensatos, como as dietas de pouca gordura, as de poucos carboidratos e as de pouco sal. A maioria, porém, tem uma coisa em comum: é projetada para fazer você fracassar a longo prazo.

Isso acontece porque até mesmo os programas de dieta baseados em princípios sólidos deixam de reconhecer as realidades da vida. Por exemplo, que andamos muito ocupados para preparar uma refeição como espeto de camarão ao molho de manga. É por isso que baseio a Dieta do Abdômen em alimentos comuns, que são fáceis de utilizar e saborear. Quase todos os regimes dietéticos são complicados e convidam ao fracasso por três motivos principais.

1. REDUZEM DEMAIS AS CALORIAS. Com uma redução rigorosa ou drástica de calorias, você pode perder peso no início, mas fica com fome. Quando sente fome, você aumenta as possibilidades de se empanturrar em algum momento do dia. Ao se empanturrar, percebe que fracassou. Com o sentimento de culpa pelo fracasso, abandona o programa e retoma os antigos hábitos alimentares, como comer pizza fria no café da manhã. Com a Dieta do Abdômen, no entanto, você nunca terá fome. Ao contrário, se alimentará com muito mais freqüência do que o faz agora: seis vezes por dia!

2. PROÍBEM MUITOS ALIMENTOS. Seria fácil desenvolver um programa que não incluísse cheeseburger, pizzas e cerveja. Se eu fizesse isso, porém, você desistiria do programa na primeira oportunidade, como em uma saída com as amigas ou durante a transmissão de um jogo de futebol pela televisão. Embora a mudança dos seus hábitos alimentares seja uma parte fundamental desta dieta, acredito que há uma possibilidade maior de que a cumpra se não tiver que renunciar a tudo o que aprecia. É normal comer um filé com um cliente, saborear uma lingüiça em um churrasco e tomar uma cerveja com os amigos depois do trabalho. Se você se privar de tudo a que está acostumado, não haverá muito incentivo (nem no caso da pessoa mais motivada) para que persista por mais que umas poucas semanas. A Dieta do Abdômen propõe que você coma os alimentos de que gosta, que seja flexível quando precisar.

3. NÃO LEVAM EM CONSIDERAÇÃO SEU ESTILO DE VIDA. Se todos nós tivéssemos um cozinheiro para preparar nossas refeições – ou mesmo mais do que uns poucos minutos para fazê-las nós mesmos –, emagrecer seria muito mais simples. Mas quando foi a última vez em que você pôde reservar duas horas para cozinhar? Estamos sempre ocupados. Comemos em restaurantes. Pedimos comida pronta. Recorremos a lanchonetes. Gostaríamos de poder medir cada grama de gordura, calcular as calorias e preparar pratos de dieta que fossem saborosos. A realidade, porém, é que a maioria de nós não possui todo esse tempo, por mais que precisemos perder peso. Temos compromissos com trabalho e família e despendemos horas com diversas coisas, como a viagem de ida para o escritório e a volta para casa e as tarefas domésticas. Assim, uma obra-prima como camarão ao molho de manga não entra na nossa lista de prioridades. A Dieta do Abdômen é aquilo de que você precisa: um programa que dá pouco trabalho, porque usa alimentos fáceis de encontrar e receitas extremamente simples.

Vamos examinar algumas dietas que estão entre as mais populares hoje em dia. Explicarei por que algumas delas são projetadas para proporcionar perda de peso a curto prazo e ganho de peso a longo prazo.

A Dieta do Dr. Atkins: limitação dos alimentos, limitação da nutrição

A DIETA DO DR. ATKINS ELIMINA PRATICAMENTE todos os carboidratos durante a primeira parte do programa, liberando apenas alimentos que contêm proteína e gordura: nada de pão, massas, frutas, legumes, sucos – em suma, nenhuma diversão. De fato, essa dieta ajuda a perder peso. Conheço pessoas que emagreceram 5, 10 e até 15kg com ela – todas se banqueteando com carne, queijo e bacon. Também examinei os estudos que confirmam sua eficácia, pelo menos a curto prazo. Enfatizar a proteína é eficiente, no entanto não se pode dizer o mesmo da proibição de muitos outros alimentos que são importantes para a saúde. E eu tenho um argumento contra esse tipo de regime alimentar, algo que costuma ser ignorado nos debates sobre a ausência total de carboidratos. Ao restringir suas opções tanto assim, a pessoa automaticamente perderá quilos, pois reduzirá drasticamente a quantidade total das calorias que ingere. Porém, também diminuirá de modo considerável o consumo de vitaminas, minerais e fibras enquanto aumenta a ingestão de gorduras saturadas, que obstruem as artérias. Ainda mais importante: ela não pode permanecer nessa dieta por um tempo significativo, ainda que deseje, porque seu estilo de vida, assim como suas papilas gustativas, exige um programa alimentar mais flexível e mais agradável – o corpo está programado para desejar frutas, cereais e sucos tanto quanto anseia por hambúrguer e batata frita.

Por mais absurdo que possa parecer, o que essa dieta altamente restritiva e de poucos nutrientes estabelece é exatamente o que a do Dr. Atkins propõe. A pessoa come um número limitado de alimentos que, em sua maioria, contêm proteína e gordura saturada. Ela emagrece um pouco porque cortou os carboidratos, mas também corre o risco de adquirir muitos problemas de saúde. Por exemplo, os alimentos indicados apresentam elevadas quantidades de gorduras saturadas, e há evidências incontestáveis de que nas sociedades com dietas ricas em gorduras desse tipo existe uma incidência maior de doenças cardíacas. Segundo, com a eliminação da maior parte dos carboidratos, são excluídos alguns nutrientes importantes, como a vitamina B, as fibras e os fitonutrientes, substâncias que fortalecem o sistema imunológico. Pior ainda: embora os carboidratos sejam acrescentados mais tarde ao programa, poucas pessoas conseguem se ater ao número limitado de alimentos liberados pela Dieta do Dr. Atkins. Ou seja, o emagrecimento a curto prazo ocasiona um ganho de peso a longo prazo, sem falar na probabilidade de ocorrerem problemas de saúde mais tarde.

Vigilantes do Peso: muita matemática, pouca comida

O PROGRAMA DOS VIGILANTES DO PESO – um sistema popular de contagem de pontos, baseado no controle das porções pelo registro das quantidades de alimentos ingeridas todos os dias – dá certo para muita gente. Quem come em excesso pode se beneficiar, pois fiscaliza o que consome e se preocupa com a redução das calorias. Mas esse programa também tem seus defeitos. Primeiro, não conheço muitas pessoas que dispõem de tempo ou de disciplina para pesar alimentos e contar calorias todos os dias por um longo período. Segundo, os Vigilantes do Peso não garantem o equilíbrio nutricional. A pessoa pode contar os pontos para comer apenas comida não saudável, caso tenha conseguido reduzir a ingestão desses alimentos em outros momentos do dia. Em tese, ela pode consumir todos os seus pontos em uma ou duas refeições – e isso retarda o metabolismo, fazendo até com que engorde. A contagem de calorias, como explicarei mais adiante, é apenas um componente de um programa de controle de peso bem-sucedido. Terceiro – e mais importante –, muitas pessoas não gostam do clima do grupo de apoio dos Vigilantes do Peso.

A Dieta de South Beach: alimentar-se corretamente é apenas o começo

EM *A DIETA DE SOUTH BEACH,* o médico Arthur Agatston enfatiza a alimentação equilibrada, baseando-se na proteína magra, boas gorduras e bons carboidratos. Como você vai constatar, alguns dos princípios nutricionais de South Beach são parecidos com os da Dieta do Abdômen. Agatston destaca o papel da insulina e a maneira como os piques de açúcar no sangue despertam a fome. Embora sua dieta se concentre no modo como o alimento opera em relação à perda de peso, ela não mostra como sintonizar o metabolismo, o queimador natural de gordura do corpo. A Dieta do Abdômen, por outro lado, incorpora fatores como os exercícios, que podem ter um profundo impacto tanto na quantidade de gordura que é possível eliminar quanto na rapidez com que isso acontece. Ao acelerar o mecanismo de queima de gordura corporal, a pessoa é capaz de assumir o controle não apenas das calorias ingeridas como também das calorias que o organismo queima.

• • •

Como eu disse no início deste livro, a maioria das dietas baseia-se na perda. A Dieta do Abdômen fundamenta-se no ganho. O conceito é simples: o corpo é uma máquina viva de queimar calorias. Ao manter sempre abastecida a fornalha de queima de gordura com os alimentos certos – e isso é importante – no momento certo, você vai ensiná-lo a começar a queimar o volume na sua barriga rapidamente. Na verdade, esta dieta pode ajudá-lo a se livrar de 6kg de gordura – primeiro do abdômen – em duas semanas ou menos. E veja agora o que ganhará em troca:

REFEIÇÕES. Estamos sempre com fome – de sucesso, de liberdade e de comida, é claro. As dietas tradicionais, de restrição de calorias ou alimentos, são contra esse apetite. Deixam-nos com fome, angustiados, a um passo de correr em desespero para o saco de batata frita. Mas isso não acontece na Dieta do

---

HISTÓRIA DE SUCESSO DA DIETA DO ABDÔMEN

"Passei de Brando a Rambo!"

Nome: Bill Stanton
Idade: 40 anos
Altura: 1,73m
Peso inicial: 100kg
Seis semanas depois: 86kg

Bill Stanton, consultor de segurança, exercitava-se com pesos desde os 15 anos de idade. No entanto, mesmo com esse rigoroso treinamento, ele não parava de engordar. Com 1,73m de altura, chegou aos 40 anos pesando 100kg. Por quê? Porque sua rotina de exercícios e sua dieta consistiam em supinos e agachamentos seguidos de asa de frango e cerveja no final da noite.

"A calça ajustava-se em mim como um torniquete", diz Stanton. "Era como se eu estivesse em um péssimo casamento – vivia confortavelmente no desconforto. A Dieta do Abdômen me desafiou a adotar o programa, subir na balança e descer dela."

Depois de seguir a dieta por seis semanas, ele perdeu 14kg e reduziu a gordura corporal

Abdômen. Você comerá neste programa – e comerá com freqüência. Na verdade, deve reabastecer-se a todo instante porque, a cada refeição ou lanche delicioso, estará alimentando os queimadores de gordura naturais do organismo. Imagine o seguinte: toda vez que você ingerir alguma coisa, estará auxiliando o corpo a perder peso e transformando flacidez em músculos.

MÚSCULOS. Com a Dieta do Abdômen e o Programa de Exercícios, quanto mais músculos você desenvolve, mais gordura elimina. Quanto mais magra sua massa muscular, maior a quantidade de energia necessária para alimentá-la, ou seja, as calorias irão para os músculos, a fim de sustentá-los, em vez de se converterem em gordura. As pesquisas demonstram que o acréscimo de massa muscular magra atua como um queimador de gordura interno. Para aproximadamente 500g de músculos adquiridos, o índice metabólico em repouso chega a ser de 50 calorias por dia. O componente do treinamento com pesos (ou de força) pode adicionar muitos quilos à sua musculatura. Você não será um corpulento fisiculturista, mas desenvolverá músculos em quantidade suficiente para diminuir e enrijecer a barriga; e, dependendo do ponto em que es-

---

de 30 para 15%. "Eu parecia grávido. A imagem era a de um halterofilista, com braços enormes, peito estufado e uma barriga imensa. Agora, pareço o Rambo."

Stanton gostou da diversidade das refeições e do programa para trabalhar o corpo todo. Admite, porém, que teve dificuldade para se acostumar ao esquema de comer seis vezes por dia. "O que eu tinha mesmo que fazer era aprender a comer para viver, e não viver para comer", afirma. E acrescenta que tudo decorreu disso. Depois que seu enfoque mental mudou – assumir o compromisso com o programa, limitar as festas noturnas e eliminar as refeições tarde da noite –, ele foi capaz de inverter tudo. "A pessoa acorda pronta para enfrentar o dia em vez de se limitar a esperar que ele acabe", explica.

Agora Stanton está sempre bem-disposto. Anda com a coluna mais ereta. Tem mais energia. E é um exemplo para outras pessoas.

"Na academia que freqüento, até rapazes e moças me procuram para conversar. Um cara me disse: 'Você deixou todo mundo impressionado. Não há quem não perceba sua transformação. E tem inspirado muita gente.'"

Stanton mudou seu físico de um modo tão espetacular que foi até acusado de usar esteróides. "Considerei a acusação um elogio", comenta ele, rindo.

tiver quando começar a dieta, os músculos abdominais vão aparecer. Ao incluir os exercícios, pense no programa como uma equação simples:

MAIS ALIMENTOS = MAIS MÚSCULOS = MENOS FLACIDEZ

Agora, considere a alternativa:

MENOS ALIMENTOS = MENOS MÚSCULOS = MAIS FLACIDEZ

Não é incrível que a maioria das dietas focalize a equação "menos comida"? E já não é tempo de mudarmos isso?

LIBERDADE. A maioria das dietas o priva de alguma coisa – de carboidratos, da gordura ou da sua disposição para o sexo. (Tofu? Não, obrigado.) Neste programa, você não se sentirá limitado. Permanecerá satisfeito. Comerá coisas crocantes. Alimentos doces. Proteínas, carboidratos e gordura. Há até uma refeição semanal em que poderá saborear qualquer coisa que quiser. Absolutamente tudo. Durante a maior parte da semana, você vai se concentrar em alimentos que mudarão seu metabolismo e controlarão as tentações. Mas terá liberdade e flexibilidade para se desviar apenas o suficiente para se manter satisfeito, sem arruinar todo o trabalho que já desenvolveu.

TEMPO. Algumas dietas dão a impressão de que nos tomaria menos tempo organizar uma caçada e localizar um mamute pré-histórico do que planejar e preparar as receitas indicadas. Na Dieta do Abdômen, todas as refeições e receitas são fáceis de fazer. Em relação ao planejamento, tudo o que lhe peço é que consulte o programa duas vezes por dia. Como os lanches entre as refeições são o inimigo número um das dietas, sua melhor defesa é elaborar uma estratégia simples para como e o que você vai comer a cada dia. Todas as noites, reserve cinco minutos para definir o que e quando comerá no dia seguinte. Dessa maneira, neutralizará a tentação e poderá assumir o controle. Depois de ler os princípios, você vai verificar que a Dieta do Abdômen institui um novo paradigma para o controle do peso. Simplesmente:

MAIS ALIMENTOS = MAIS MÚSCULOS = MENOS FLACIDEZ

BOLETIM DE SAÚDE DA DIETA DO ABDÔMEN

Afinal, o que significa... colesterol alto?

O colesterol é uma substância mole e cerosa encontrada entre os lipídios (gorduras) na corrente sangüínea e em todas as células do corpo. Apesar das afirmações negativas contra ele, o fato é que precisamos do colesterol, pois o corpo o usa para formar membranas celulares, criar hormônios e realizar várias outras operações cruciais de manutenção. Mas um nível elevado de colesterol no sangue – hipercolesterolemia – é um grande fator de risco para doenças coronarianas, que causam o infarto.

Obtemos o colesterol de duas maneiras. O corpo, principalmente o fígado, produz quantidades variadas dessa substância, em geral cerca de 1.000mg por dia. No entanto, quando consumimos alimentos com alto teor de gordura saturada – especialmente as gorduras trans –, o organismo entra no frenesi do colesterol, liberando mais do que poderíamos usar. (Alguns alimentos também contêm essa substância, especialmente gema de ovo, carne vermelha, aves, peixes, frutos do mar e laticínios fabricados com leite integral. Mas a maior parte do colesterol, aquilo em que vou me concentrar, é produzida pelo próprio corpo.)

Uma parte do colesterol em excesso na corrente sangüínea é eliminada por meio do fígado. Uma parcela dele, porém, vai exatamente para onde não queremos: as paredes das artérias, e ali se combina com outras substâncias, formando as placas, que são um perigo por vários motivos. Primeiro, a placa eleva a pressão ao fazer o coração trabalhar mais para levar o sangue através de vasos que subitamente se tornaram mais estreitos. Esse esforço extra pode desgastar o coração. Segundo, há a possibilidade de que ela se solte da parede da artéria e seja arrastada pela corrente sangüínea, eventualmente formando um coágulo, que pode causar derrame, paralisia e morte, entre outras chateações.

Dentro do corpo há uma guerra sendo travada neste momento entre duas facções de agentes especializados – as lipoproteínas – que movimentam o sangue de acordo com suas intenções específicas. Há vários tipos de lipoproteínas, mas vamos nos concentrar nas que são o Dr. Jekyll e o Mr. Hyde da saúde, o médico e o monstro da história: o colesterol HDL (lipoproteína de alta densidade, ou "útil") e o LDL (lipoproteína de baixa densidade, ou "preguiçosa").

O mocinho: colesterol HDL. Cerca de 1/4 a 1/3 do colesterol no sangue é impulsionado pelo HDL, a lipoproteína útil. O HDL quer nos ajudar a recolher o colesterol e tirá-lo da corrente sangüínea, levando-o de volta ao fígado, e dali ser eliminado do corpo. Isso é ótimo. Estudiosos acreditam que o HDL remove o colesterol em excesso das placas e assim retarda seu crescimento. Um alto nível de HDL parece proteger contra ataques cardíacos. O

BOLETIM DE SAÚDE DA DIETA DO ABDÔMEN

Afinal, o que significa... colesterol alto? (cont.)

oposto também é verdadeiro: um baixo nível de HDL (menos de 40mg por decilitro, mg/dl) indica um risco maior de ocorrência desses problemas e também de derrame cerebral.

O bandido: colesterol LDL. O preguiçoso LDL não tem nenhum interesse em ser útil. Ele quer apenas fixar o colesterol no lugar mais conveniente que puder encontrar, ou seja, nas artérias. Não se importa com o fato de que muito colesterol revestindo as artérias causa um acúmulo de placas, a chamada aterosclerose. Um alto nível de colesterol LDL (169mg/dl e acima dessa taxa) indica um risco elevado de doença cardíaca.

Em termos bem simples, o HDL tenta nos ajudar, mas o LDL fica onde está, rindo de nós. Portanto, de que lado você está? Se quer dar uma colaboração ao HDL, comece a usar os Alimentos Poderosos da Dieta do Abdômen e siga as orientações dos exercícios. Aqui estão mais algumas idéias rápidas para derrotar o bandido definitivamente.

Apague o cigarro. Fumar é um dos seis principais fatores de risco para doenças cardíacas que você pode mudar ou tratar. O tabagismo reduz os níveis do colesterol HDL (o mocinho).

Controle a bebida. Alguns estudos mostraram que o consumo moderado de álcool está associado a níveis mais altos do colesterol HDL (o mocinho). Mas não exagere. As pessoas que consomem álcool de forma equilibrada (uma média de um ou dois drinques por dia para homens e um drinque por dia para as mulheres) correm um risco menor de apresentar doenças cardíacas; no entanto, a ingestão excessiva dessa substância pode acarretar outros perigos para a saúde, como alcoolismo, pressão alta, obesidade e câncer.

A vitamina B do bem. Uma vitamina B chamada niacina reduz o colesterol LDL (bandido) ao mesmo tempo que aumenta o benéfico HDL. Ela pode ser mais eficaz nesse tipo de tratamento do que os remédios populares que combatem o colesterol. De um modo geral, essas drogas tendem a atuar no colesterol total. (Mas é preciso tomar cuidado. Embora a niacina obtida de alimentos e de vitaminas vendidas sem restrições seja um elemento positivo, superdoses dessa substância podem causar graves efeitos colaterais e por isso só devem ser tomadas sob supervisão médica.)

Sirva-se de chá verde. Três estudos recentes confirmam que o chá verde ajuda a baixar o nível de colesterol e diminui o risco de desenvolver câncer. 1 ou 2 xícaras diariamente já produzem um efeito positivo. Além disso, pesquisadores da Universidade de Rochester concluíram que o extrato de chá verde previne o crescimento de células cancerosas.

Procure o grapefruit. Se você quer realizar uma única mudança dietética em benefício da sua saúde, a melhor coisa que pode fazer é comer diariamente um grapefruit. Essa fruta adquire um prestígio cada vez maior como um alimento poderoso (embora nem sempre seja fácil encontrá-la no Brasil). Novas pesquisas demonstram que ela combate doenças cardíacas e câncer, impulsiona o corpo a perder peso e até contribui para uma noite de sono melhor. Um grapefruit por dia pode reduzir os níveis de colesterol total e colesterol LDL (o bandido) em 8 e 11%, respectivamente.

Passe na torrada. Quando usar manteiga ou margarina, experimente os produtos light. Contêm éster estanol, uma substância vegetal que inibe a absorção de colesterol. Um estudo realizado na Clínica Mayo constatou que as pessoas que comeram 4 1/2 colheres de sopa desses produtos por dia baixaram o nível de colesterol LDL (bandido) em 14%, em oito semanas. Quando pararam de ingeri-los, o LDL voltou aos níveis anteriores. Também podem ser usados para cozinhar.

Saboreie feijões e leguminosas. Em um estudo realizado por pesquisadores do Hospital St. Michael, em Toronto, foi pedido aos participantes que acrescentassem porções de alimentos como cereais integrais, nozes e leguminosas às suas dietas todos os dias. Um mês depois, seus níveis de colesterol LDL (bandido) estavam quase 30% mais baixos do que no momento em que o experimento começou.

Não fique de estômago vazio. Um estudo publicado no *British Medical Journal* revelou que as pessoas que fazem seis ou mais pequenas refeições por dia têm níveis de colesterol 5% menores do que as que se limitam a uma ou duas refeições fartas. Esse número maior de refeições diárias é suficiente para promover uma redução de 10 a 20% no risco de doenças cardíacas.

Evite as frituras. O *New England Journal of Medicine* publicou um estudo em que os exercícios físicos e os hábitos nutricionais de 80.000 mulheres foram registrados durante 14 anos. Os pesquisadores mostraram que a correlação mais importante com as doenças cardíacas era a ingestão de alimentos que apresentam ácidos graxos trans – formas alteradas da gordura que reduzem o colesterol HDL (mocinho) e aumentam o LDL (bandido). Entre os piores culpados estava a batata frita.

Adote a aveia. De acordo com um estudo realizado pela Universidade de Connecticut, homens com colesterol alto que comeram biscoitos de aveia todos os dias durante oito semanas baixaram os níveis de colesterol LDL em mais de 20%. Por isso, você deve comer mais fibras de farelo de aveia como as que se encontram no mingau feito com esse cereal.

BOLETIM DE SAÚDE DA DIETA DO ABDÔMEN

Afinal, o que significa... colesterol alto? (cont.)

Levante-se e coma. Em um estudo com 3.900 participantes, pesquisadores de Harvard verificaram que os homens que tomavam café da manhã todos os dias apresentavam uma probabilidade 44% menor de ter excesso de peso e reduziam em 41% sua chance de desenvolver resistência à insulina, ambos fatores de risco para as doenças cardíacas.

Fortaleça-se com ácido fólico. Um estudo publicado no *British Medical Journal* revelou que os indivíduos que consomem a quantidade diária recomendada de ácido fólico têm 16% menos probabilidade de desenvolver doenças cardíacas do que as pessoas cujas dietas não incluem essa vitamina B. Entre as boas fontes desse ácido estão aspargos, brócolis e cereais enriquecidos.

Peça uma salada. As folhas e a gema de ovo são boas fontes de luteína, um fitoquímico que leva os antioxidantes que combatem as doenças cardíacas para as células e tecidos.

Seja uma esponja. Pesquisadores da Universidade de Loma Linda verificaram que beber cinco ou mais copos de água por dia pode contribuir para a redução do risco de doenças cardíacas em até 60% – exatamente a mesma queda que você obterá se parar de fumar, reduzir os níveis de colesterol LDL (bandido), fizer exercícios ou emagrecer um pouco.

Afaste os vampiros. Além de baixar o colesterol e combater a infecções, o alho pode ajudar a limitar os danos para o coração após um ataque cardíaco ou uma cirurgia do coração. Pesquisadores na Índia descobriram que os animais que se alimentavam desse vegetal regularmente tinham mais antioxidantes – protetores do coração – no sangue do que os animais que não o ingeriam.

Aumente o cromo. Segundo uma pesquisa de Harvard, homens com baixo nível de cromo no organismo têm muito mais probabilidade de desenvolver problemas cardíacos. Se este é seu caso, você precisa ingerir diariamente de 200 a 400mcg (microgramas) de cromo – mais do que provavelmente há na sua dieta regular. Procure um suplemento chamado picolinato de cromo, pois é o que o corpo absorve com mais facilidade.

Lanche com nozes. Pesquisadores de Harvard revelaram que os participantes de um experimento que substituíram 127 calorias de carboidratos – o que um saco de batata frita contém aproximadamente – por 30g de nozes diminuíram o risco de doenças cardíacas em 30%.

| CAPÍTULO 3 |

Queime gordura dia e noite

COMO O METABOLISMO MOLDA SEU CORPO – E COMO VOCÊ PODE MUDAR SEU METABOLISMO

NO CAPÍTULO 2, MOSTREI como a maioria das dietas populares são projetadas para proporcionar um emagrecimento somente a curto prazo. Também expliquei que, ao seguir esses regimes alimentares, a pessoa não apenas recupera o peso do qual se livrou no início como também pode adquirir mais gordura depois. Na verdade, a maioria das dietas não é um plano de perda de gordura a longo prazo, e sim um plano de perda de músculo a longo prazo. A Dieta do Abdômen é diferente: é um programa que ajuda a intensificar os queimadores de gordura naturais do corpo e a mantê-los acionados pelo resto da vida.

Por mais prejudiciais que as dietas obsessivas possam ser, elas não são as únicas culpadas pela obesidade, que em alguns países, como os Estados Unidos, já apresenta proporções epidêmicas. Muitos outros fatores são responsáveis por esse problema, como fast-food, estresse, estilo de vida sedentário, bufês em que comemos à vontade, sofás e pipoca no cinema. Somos uma sociedade de comedores em excesso, trabalhando em escritórios, sempre conversando sobre comida. Mas, na batalha do controle do peso, esses são os alvos fáceis. Creio que um dos motivos pelos quais continuamos a engordar é o fato de depositarmos fé em duas coisas que, embora devessem nos ajudar a emagrecer, agem de forma contrária. Esses "agentes duplos" colhem louvores por suas contribuições para a saúde, porém também colaboraram para distorcer a maneira como pensamos a respeito do emagrecimento. Os dois culpados pela grande disseminação da obesidade? Os rótulos nutricionais e os aparelhos de exercícios.

O argumento contra a contagem de calorias

ANTES QUE VOCÊ DISCORDE, QUERO que preste atenção. Rótulos e aparelhos de exercícios têm seus usos apropriados: os primeiros, para o simples conhecimento das vitaminas, minerais e outros ingredientes presentes nos alimentos; os segundos, para fazer com que as pessoas tirem o traseiro da cadeira e se exercitem. Minha queixa contra essas duas coisas não é direcionada ao que elas fazem simplesmente, mas ao mito que perpetuam. Por meio da sua função, alimentam um modo de pensar sobre a perda de peso que torna o controle mais difícil. Estão criando comunidades de gorduchos que idolatram uma entidade que parece ser onipotente: a caloria.

A cada alimento ingerido e a cada exercício finalizado, você verifica quantas calorias entraram e quantas calorias saíram. Trata-se da seguinte teoria: se você gasta mais em exercício do que absorve em alimentos, então perderá peso. Os especialistas dizem que cerca de 500g de gordura contém em torno de 3.500 calorias. Portanto, excluindo 500 calorias das suas refeições diárias, aumentando os exercícios para a queima diária de 500 calorias ou fazendo outra combinação dessas duas coisas, poderá eliminar aproximadamente 500g de gordura por semana. Parece sensacional em teoria, mas na vida real é diferente. Apesar de todo esse conceito de administração de calorias, é mais provável que você perca o ânimo do que algum peso. Você "rala" na esteira por 30 minutos e depois lê o registro final: "Exercício concluído: 300 calorias queimadas!" Percebe que se livrou de um pouco da barriga e se aproximou do objetivo – até sentir fome no final da noite e descobrir que um cachorro-quente simples equivale a 300 calorias. O que lhe custou 30 minutos para queimar pode ser recuperado em poucos segundos. E esse fato é um assassino psicológico de qualquer dieta.

Claro que não há nada de errado em usar rótulos com indicações nutricionais para que você saiba o que está ingerindo ou como um meio de evitar alimentos ricos em calorias. E pode ser útil utilizar os registros no painel do aparelho de ginástica para avaliar a intensidade do exercício. Mas você vai se desviar dos seus esforços para a perda de peso se continuar a se preocupar com o número de calorias que ingere nas refeições e o número de calorias que queima durante a atividade física. Em vez disso, procure se concentrar no que está acontecendo dentro do seu corpo ao longo do dia enquanto trabalha, dorme, faz amor ou está sentado lendo um livro, como agora. Neste exato instante, seu corpo está ganhando ou perdendo gordura. A Dieta do Abdômen treinará seu organismo para queimar gordura mesmo enquanto você estiver sentado, imóvel, porque ela envolve algo que outros programas de dieta ignoram: seu metabolismo.

O que é metabolismo?

METABOLISMO É A TAXA EM QUE O corpo queima calorias apenas para se manter vivo; ou seja, para manter o coração batendo, os pulmões funcionando, o sangue circulando e a mente fantasiando sobre aquela praia deslumbrante do Caribe enquanto você faz os cálculos dos gastos necessários para essa viagem. O corpo queima calorias o tempo inteiro, mesmo enquanto você lê esta frase. A mulher média queima cerca de 10 calorias por 500g de peso corporal todos os dias; o homem médio, aproximadamente 11 calorias.

Há três tipos principais de queima de calorias que ocorrem ao longo do dia. Saiba como eles funcionam e compreenderá exatamente por que a Dieta do Abdômen vai transformar seu corpo em uma máquina de queima rápida de gordura.

QUEIMA DE CALORIA # 1: o efeito térmico de comer. A simples digestão dos alimentos é responsável pela queima de 10 a 30% das calorias que você ingere todos os dias. O que é uma coisa incrível: ao satisfazer seus anseios alimentares, o organismo queima calorias. Mas nem todos os alimentos são iguais. O corpo usa mais calorias para digerir proteína (cerca de 25 calorias queimadas para cada 100 calorias consumidas) do que para digerir gorduras e carboidratos (10 a 15 calorias queimadas para cada 100 calorias consumidas). É por isso que a Dieta do Abdômen se concentra em proteínas magras e saudáveis. Aumentando a ingestão dessas proteínas de uma forma sensata, você queimará mais calorias.

QUEIMA DE CALORIA # 2: exercício e movimento. Outros 10 a 15% da queima de calorias resultam da movimentação dos músculos, esteja você levantando um peso acima da cabeça, correndo para pegar o ônibus ou apenas estalando os dedos. O simples ato de virar a página de um livro queima calorias.

QUEIMA DE CALORIAS # 3: metabolismo basal. Esse é o mais importante. O metabolismo basal, ou em repouso, refere-se às calorias que você queima quando não está fazendo absolutamente nada. Dormir, assistir à televisão, sentar-se para ouvir uma chatíssima apresentação sobre o quadro de ganhos e perdas da empresa – todas essas são situações em que as calorias estão sendo usadas. Na verdade, de 60 a 80% da queima diária de calorias ocorre quando você está parado. Isso acontece porque o corpo se mantém em permanente movimento: o coração bate, os pulmões funcionam, as células se dividem, inclusive durante o sono.

Somando as porcentagens, é possível verificar que a maior parte da queima diária de calorias decorre de funções fisiológicas sobre as quais você nem pensa, como o efeito térmico de comer e o metabolismo basal. O exercício é importante, mas você precisa compreender que as calorias que queima durante

---

HISTÓRIA DE SUCESSO DA DIETA DO ABDÔMEN

"A prova está na calça!"

Nome: Jessica Guff
Idade: 43 anos
Altura: 1,63m
Peso inicial: 59kg
Seis semanas depois: 54kg

Jessica Guff não acredita em subir em uma balança. "Os números não oferecem uma imagem total da saúde", diz ela. "O que realmente importa", garante, "é a maneira como a pessoa se vê" – para não mencionar como os outros a vêem. Foi o que aconteceu na ocasião em que ela entrou no escritório de um cliente. Jessica não se encontrava com aquelas pessoas havia duas semanas. Uma funcionária perguntou para outra:

– Quem é aquela magricela?

– É Jessica – respondeu a segunda. – Ela começou a tal Dieta do Abdômen.

O diálogo ocorreu duas semanas depois que Jessica iniciou a Dieta do Abdômen, e ela sentiu os efeitos imediatamente. Aos 43 anos, corre maratonas e sempre manteve a boa forma. Mas o efeito de ter duas crianças cobrou um tributo do seu abdômen. "Meu corpo era bem trabalhado, exceto pela barriga", comenta ela. "Depois que iniciei o programa, percebi logo uma diferença. Acho que seria capaz de quebrar nozes com os músculos abdominais."

A chave para Jessica foi mudar a forma como se alimentava. Ela sacrificava seus hábitos alimentares no empenho de aprontar as crianças para a escola e manter a forma física.

a atividade física não são tão importantes. Por esse motivo é que o Programa de Exercícios da Dieta do Abdômen foi elaborado para alterar o metabolismo basal, transformando seu tempo de folga em um período de queima rápida de calorias. E é também por isso que as opções alimentares apresentadas neste livro foram selecionadas para maximizar o número de calorias que você queima no simples ato de digerir o que come. Quero que esqueça as calorias que você queima durante os 30 minutos em que se exercita e concentre-se naquelas que gasta nas outras 23 horas e meia do dia.

A Dieta do Abdômen vai converter seu corpo em um dínamo de queimar gordura por vários meios.

Começava o dia com um chá, e muitas vezes ficava nisso. "Eu costumava sair para correr sem comer nada, o que era uma burrice. Fiquei horrorizada ao descobrir a verdade: exercitar-se com o estômago só queima músculos, e não gordura." Mas estratégias simples da Dieta do Abdômen modificaram tudo isso. "Agora, pela manhã, tomo iogurte e como uma mistura de frutas picadas e pedaços de nozes, o que me proporciona energia e me mantém em forma."

Ela diz que jamais poderia seguir um programa em que tivesse que contar calorias ou pesar alimentos. "O que eu mais adoro na Dieta do Abdômen é a flexibilidade. Só preciso me lembrar dos 11 Alimentos Poderosos."

Os resultados: está mais esguia – e mais forte. Quando sua filha de 25kg adormeceu no sofá, foi a própria Jessica quem a pegou no colo e a levou para a cama. "Não pude deixar de pensar: ou estou mais forte ou ela emagreceu."

Ela também se sente mais confiante: "Quando as mulheres olham para outras mulheres, reparam nos seios, nas nádegas e na cintura, especialmente quando se trata daquelas que já tiveram filhos. Toda mulher que já passou por uma gestação se preocupa com a barriga."

No entanto, a verdadeira medida do seu sucesso veio sob a forma de uma calça de cetim verde. "A calça é linda, mas a barriga ficava à mostra. Tive duas crianças, e não havia sentido em exibir o efeito que isso me causou." Depois de duas semanas seguindo o programa, porém, ela decidiu fazer um teste público.

"As pessoas começaram a me elogiar. Um antigo colega dos tempos da universidade comentou: 'Você fica muito bem com essa roupa.' E meu marido disse que eu estava linda. Vou sair de novo esta noite e usarei essa calça!"

Mude a maneira de se exercitar

VOCÊ JÁ ESTEVE EM UMA ACADEMIA de ginástica na hora de maior movimento? As pessoas se concentram em torno das esteiras e das bicicletas ergométricas. Cartazes avisam que o tempo máximo para o exercício é de 20 ou 30 minutos para que o próximo fanático por suor tenha sua vez. Parece que todos ali querem praticar uma atividade cardiovascular (aeróbica). Quanto mais suam, mais calorias queimam, mais peso perdem, não é mesmo? De certa forma, sim, e eles estão certos. As atividades cardiovasculares – exercícios de resistência prolongados, como correr, andar de bicicleta e nadar – queimam muitas calorias. Na verdade, costumam queimar mais do que outras formas de exercício, como treinamento com pesos, ioga e pilates. No entanto, quando se trata do controle do peso, a atividade aeróbica é superestimada. Por quê? Por um motivo: o exercício aeróbico desenvolve pouco a musculatura – se é que desenvolve algum músculo –, mas o músculo é o componente fundamental para um metabolismo acelerado. Ele queima gordura. Acrescente cerca de 500g de músculos, e o corpo queimará até 50 calorias adicionais por dia só para mantê-los. Com mais 3kg deles, você queimará em torno de 300 calorias por dia apenas ficando sentado sem fazer nada.

Esse é o problema do exercício aeróbico de baixa intensidade. Assim como um carro não anda sem gasolina e uma pipa não voa sem vento, o corpo não consegue funcionar sem alimento. Ele é o combustível que ajuda você a correr, levantar-se e ter resistência para fazer amor durante a noite inteira. De um modo geral, durante a atividade física o corpo precisa de glicogênio (a forma armazenada de carboidratos nos músculos e no fígado), de gordura e, em alguns casos, de proteína. Quando você faz um exercício aeróbico de baixa intensidade, o organismo usa inicialmente gordura e glicogênio (carboidratos) como combustível. Se essa atividade se estende por períodos mais longos (20 minutos ou mais), ele entra em depleção, isto é, esgota as fontes de energia da primeira camada (as reservas de glicogênio) e passa a procurar a fonte mais fácil de energia que pode encontrar: a proteína. Começa então a consumir o tecido muscular, convertendo a proteína armazenada nos músculos na energia necessária para continuar o esforço. Depois de alcançar esse nível, o corpo queima de 5 a 6g de proteína para cada 30 minutos de exercício persistente. (É mais ou menos a quantidade de proteína existente em um ovo cozido.) Ao queimar esse nutriente, você está perdendo não apenas uma oportunidade de se livrar da gordura como também um músculo poderoso e importante. Portanto, a atividade aeróbica diminui a massa muscular. E a redução dessa massa, em última análise, desacelera o metabolismo, o que facilita o aumento de peso.

Há, porém, um fato ainda mais surpreendente. Quando os primeiros estudos compararam os exercícios cardiovasculares ao treinamento com pesos, os pesquisadores descobriram que as pessoas que se dedicavam às atividades cardiovasculares queimavam mais calorias durante os exercícios do que aquelas que faziam o treinamento de força. Assim, podia-se presumir que a atividade aeróbica era a ideal. Mas esse não é o fim da história.

Quem treinava com pesos não queimava tantas calorias durante os exercícios quanto quem corria ou andava de bicicleta, no entanto queimava muito mais calorias ao longo das horas subseqüentes. Esse fenômeno é conhecido como queima adicional: as calorias a mais que o corpo usa nas horas e dias depois de um exercício. Quando verificaram os aumentos metabólicos após as atividades físicas, os pesquisadores observaram que, no caso dos exercícios aeróbicos, o efeito metabólico aumentado durava apenas de 30 a 60 minutos. No caso do treinamento com pesos, ele permanecia até 48 horas, período em que o corpo queimava gordura adicional. A longo prazo, os dois grupos conseguiram emagrecer, mas os participantes que praticaram o treinamento de força se livraram apenas de gordura, enquanto corredores e ciclistas perderam também massa muscular. A mensagem: os exercícios aeróbicos promovem a queima de calorias somente enquanto estão sendo realizados. O treinamento com pesos faz com que esse processo continue muito tempo depois que a pessoa deixa a academia, até quando já estiver dormindo, talvez até o próximo treinamento. Mais ainda: o corpo, mesmo em repouso, continuará a usar calorias a longo prazo somente para manter vivo o novo músculo.

Isso levanta uma questão: que aspecto do treinamento com pesos possibilita a longa queima adicional? É mais provável que seja o processo de reparação muscular. Esse tipo de atividade física faz com que o tecido muscular se fragmente e se reconstrua em um índice maior do que o normal. (Os músculos estão sempre se fragmentando e se reconstruindo, e os exercícios com pesos simplesmente aceleram esse processo.) A fragmentação e a reconstrução exigem muita energia, o que pode explicar o longo período de queima de calorias. Um estudo finlandês de 2001 mostrou que a síntese de proteína (o processo que cria músculos maiores) aumenta em 21% três horas depois de um exercício.

A boa notícia é que você não precisa levantar pesos como um atleta profissional para ver os resultados. Um estudo realizado pela Universidade de Ohio revelou que uma atividade física rápida mas intensa produz o mesmo efeito que os exercícios mais demorados. Usando um circuito de três exercícios consecutivos por 31 minutos, os participantes do experimento ainda queimavam calorias 38 horas depois. (O Programa de Exercícios da Dieta do Abdômen baseia-se em princípios similares para reproduzir esses resultados.)

Antes que você comece a pensar que sou um fanático detrator dos exercícios aeróbicos, deixe-me esclarecer uma coisa: corro quase todos os dias e até já completei a maratona da cidade de Nova York. Esse tipo de atividade física queima calorias, favorece o controle do estresse e beneficia a capacidade cardiovascular. Também contribui para baixar a pressão e melhorar o quadro do colesterol. Se sua escolha é entre o exercício aeróbico e o sedentarismo, trate de sair de casa e começar a correr. Mas, quando a questão é administrar o peso a longo prazo, troco a corrida pelo treinamento com pesos na academia.

Mude a maneira de se alimentar

POUCAS COISAS NA NOSSA SOCIEDADE fracassam com mais freqüência do que as dietas. Creio que há uma explicação para isso. Por um lado, um grande número de regimes alimentares baseia-se em cardápios de pouca gordura. Analisarei a questão da gordura em um capítulo posterior, mas adianto que um dos problemas das dietas desse tipo é que elas podem suprimir a produção de testosterona, o hormônio que contribui para o crescimento muscular e a queima de gordura. Quando os níveis de testosterona são baixos, o corpo armazena gordura. Em um estudo, os homens com mais testosterona tinham 75% menos probabilidade de serem obesos do que os que apresentavam níveis mais baixos desse hormônio. Muitas dietas também deixam de ser bem-sucedidas porque não tiram proveito do nutriente mais poderoso para o desenvolvimento muscular e o aumento do metabolismo: a proteína.

A proteína – em comparação com nutrientes de outros grupos – funciona de duas maneiras básicas. Primeiro, quando consumida em maior quantidade, ela aumenta o efeito térmico da digestão em até 30%. Segundo, também é a responsável pelo desenvolvimento dos músculos, que queimam calorias. Na verdade, ocorre uma queima dupla: enquanto a comida é ingerida e, depois, durante a prática dos exercícios enquanto os músculos estão sendo trabalhados. Na Dieta do Abdômen, você dará uma importância especial à proteína por esses motivos, mas priorizará as melhores e mais poderosas fontes desse nutriente.

Mude sua interpretação da palavra "dieta"

VAMOS ANALISAR UMA SITUAÇÃO TÍPICA. Você come uma torrada no café da manhã e mastiga algumas cenouras no almoço. Calcula que isso lhe dá uma grande vantagem no jogo de contagem de calorias. No jantar, porém, enche a boca com tantos anéis de cebola à milanesa que fica com as bochechas estufadas. Ou seja, com tantas limitações sobre o que comer, por fim você pode se comportar como um adolescente rebelde e violar todas as regras. Enquanto a maioria das dietas diz "não" com mais freqüência do que seu chefe diante dos seus pedidos de aumento, a Dieta do Abdômen lhe oferece opções. Ela prefere a satisfação à restrição.

Por anos ou talvez durante toda a sua vida, você provavelmente teve uma idéia do que deve ser uma dieta. Restringir alimentos, comer como uma supermodelo, suar na esteira e queimar gordura. Na realidade, esses podem ser exatamente os motivos que o impedem de emagrecer. Foi isso que o fez recuperar o que perdeu. Por essa razão a lancha veloz do seu metabolismo reduziu a velocidade para a de uma barca quase parada. E é por esse motivo que a única receita real que muitos programas de dieta oferecem é a do fracasso com recheio de nozes. O que a Dieta do Abdômen faz é reprogramar seus circuitos. Você vai parar de se concentrar em calorias e começar a pensar sobre a melhor maneira de queimá-las. Assim, seu corpo estará equipado com todas as ferramentas de que precisa para se livrar da gordura e deixar à mostra os músculos abdominais.

BOLETIM DE SAÚDE DA DIETA DO ABDÔMEN

Afinal, o que é... diabetes?

Se alguém que você ama já enfrentou o tormento da diabetes, você sabe o quanto essa doença pode ser brutal. Como uma das principais causas de comprometimentos cardíacos, problemas renais e derrame, ela é responsável por um elevado número de mortes. Outras complicações que acarreta incluem cegueira, amputação, impotência e lesões nos nervos. Mas esse mal também pode ser evitado – e a Dieta do Abdômen e seu Programa de Exercícios são prescrições quase perfeitas para isso.

A diabetes funciona da seguinte maneira: o sistema digestivo transforma a comida em glicose – a forma de açúcar que o corpo usa como energia –, que é enviada para a corrente sangüínea. Quando a glicose se manifesta, o pâncreas – uma glândula enorme, localizada perto do estômago – produz o hormônio insulina, que também a envia para a corrente sangüínea. A insulina é o controlador de tráfego do açúcar do corpo. Assume a administração de toda a glicose e a orienta para as células, nas quais é usada para reconstruir músculos, manter o coração bombeando e o cérebro pensando e até para permitir que você dance.

Ao longo do tempo, no entanto, hábitos de saúde prejudiciais podem cobrar um tributo ao seu centro de controle. Comer demais, em particular alimentos com elevado teor glicêmico, por vezes inunda o corpo com quantidades maciças de glicose. Como qualquer controlador de tráfego, a insulina pode ficar assoberbada e atrapalhada quando é impelida a fazer muitas coisas ao mesmo tempo. Acaba sofrendo um colapso. Perde a capacidade de determinar às células como utilizar corretamente a glicose no sangue – é a chamada resistência à insulina. Depois de vários anos, o pâncreas se cansa de produzir tanta insulina ineficaz e então passa a fabricar menos do que o necessário. É o que se denomina diabetes do tipo 2, ou iniciada na vida adulta. (Como uma dieta ruim é o grande fator de risco, não é surpresa que 80% das pessoas com diabetes do tipo 2 tenham excesso de peso.) A glicose acumula-se no sangue, transborda para a urina e sai do corpo. Assim, o organismo é privado de sua principal fonte de combustível, embora o sangue contenha grandes quantidades de glicose.

Acontecem então duas coisas terríveis. Primeiro, a pessoa começa a ficar sem energia e seu corpo tem dificuldade para se manter. Ela sente cansaço e uma sede excepcional. Emagrece sem nenhum motivo aparente. Adoece com mais freqüência, e a cura de lesões é mais demorada porque o organismo está perdendo a capacidade de se preservar. Segundo, o açúcar no sangue começa a afetar os pequenos vasos sangüíneos e os nervos por todo o corpo, em particular nas extremidades e nos órgãos vitais. Seguem-se cegueira, impotência, dormência e lesão no coração.

No entanto, em certa medida, a prevenção da diabetes é possível. Exercícios físicos e alimentação adequada são os dois melhores tipos de precaução. Por coincidência, é justamente isso o que este livro quer lhe ensinar. Portanto, adote os princípios da Dieta do Abdômen e o Programa de Exercícios. Enquanto os estiver seguindo, considere as seguintes providências adicionais.

Coma aveia. Esse cereal tem alto teor de fibras solúveis, que podem diminuir o risco de doenças cardíacas, alguns tipos de câncer, diverticulite e diabetes. Trate de misturar: em um dia, coma-o com frutas – morangos e nozes, por exemplo; no dia seguinte, varie combinando-o com carne e ovos.

Comece a subir. De acordo com pesquisadores de Yale, homens com resistência à insulina – um fator de risco para doença cardíaca e diabetes – que se exercitavam em um *stairclimber* (aparelho com plataformas para os pés, parecido com o Transport, que exige do corpo um esforço de subida) durante 45 minutos, quatro dias por semana, melhoraram sua sensibilidade à insulina em 43%, em seis semanas.

Não rejeite a maçã. Pesquisadores do Instituto Nacional de Saúde Pública, de Helsinque, na Finlândia, estudaram as dietas de 60 mil homens e mulheres, ao longo de um ano. Constataram que os participantes que comiam maçãs com mais freqüência apresentavam 12% menos probabilidade de morrer ao longo do estudo do que aqueles que quase nunca saboreavam essa fruta. Em particular, reduziram o risco de diabetes em 27%.

Escolha os carboidratos certos. Passe a conhecer o índice glicêmico (IG), uma medida da rapidez com que os carboidratos em um alimento específico são convertidos em glicose, liberada na corrente sangüínea. Um estudo realizado em Harvard mostrou que os homens que comiam alimentos com IG mais baixo, como o pão de trigo integral, tinham 37% menos probabilidade de desenvolver diabetes do que aqueles que consumiam alimentos com IG alto, como o arroz branco. (Para conhecer os índices glicêmicos dos seus alimentos prediletos, consulte o livro *200 receitas de bons carboidratos,* de Sandra Woodruff, da Editora Sextante, ou o site em inglês www.glycemicindex.com.)

Aumente a ingestão de vitamina E. Na sopa de letrinhas do alfabeto das vitaminas, a E é aquela que pode prevenir a grande D, a diabetes. Quando avaliaram as dietas de 944 homens, pesquisadores finlandeses observaram que os que ingeriam mais vitamina E corriam um risco 22% menor de contrair diabetes do que aqueles que comiam menos desse nutriente. Essa vitamina também atua na prevenção dos danos causados pelos radicais livres, que contribuem para as complicações desencadeadas pela diabetes.

BOLETIM DE SAÚDE DA DIETA DO ABDÔMEN

Afinal, o que é... diabetes? (cont.)

Comece a tomar vinho. Em um estudo realizado com 23 mil gêmeos, pesquisadores mostraram que os participantes que tomavam uma ou duas taças de vinho por dia tinham até 40% menos probabilidade de desenvolver diabetes do que as pessoas que bebiam menos de uma dose diária. Uma pesquisa anterior vinculou o consumo de álcool a uma sensibilidade para a insulina aumentada. Apenas não exagere na quantidade. Em outro estudo, pesquisadores concluíram que beber demais pode elevar em três vezes o risco de câncer colo-retal.

| CAPÍTULO 4 |

Como funciona a Dieta do Abdômen

O QUE SUA ÚLTIMA REFEIÇÃO ESTÁ FAZENDO COM SEU CORPO NESTE MOMENTO

NA MANEIRA MAIS TOSCA, A FORMA COMO o alimento viaja através do corpo parece simples. Há uma única entrada e uma única saída, e qualquer coisa deixada para trás se acumula em gordura na barriga, nos quadris ou por baixo do queixo. Na verdade, os padrões de viagem do café da manhã, almoço e jantar são mais como a malha viária em uma grande cidade. Há os congestionamentos (artérias entupidas) e as passagens ocasionais por tiroteios (indigestões), mas também existe uma complexa rede de vias em que se dá o deslocamento dos nutrientes entre tecidos e órgãos vitais. A capacidade de perder peso e ganhar músculos depende em grande parte de como e quando o corpo é abastecido para operar esse sistema.

No capítulo anterior, mostrei como a chave para o controle de peso eficaz se concentra na queima de calorias pelo corpo – não na eficiência com que você queima calorias ao se exercitar, e sim na eficiência com que gasta calorias quando está em repouso. Também forneci explicações sobre a maneira como os alimentos ingeridos podem afetar o uso diário de calorias pelo organismo. Antes de eu apresentar as instruções da Dieta do Abdômen, você deve conhecer as substâncias e os nutrientes mais importantes que afetam o modo como seu corpo processa os alimentos.

Proteína: a mais valiosa

NO ESPORTE, POUCAS COISAS SÃO TÃO apreciadas quanto a versatilidade de um atleta. Por exemplo, no futebol, o meio-de-campo que sabe defender, dar passes e ainda faz gols; no basquete, o armador que consegue pegar rebotes e encestar. No seu corpo, a proteína é o jogador mais versátil na equipe de nutrientes. É ingerida em diversas formas e faz uma série de coisas com a maior eficiência – tudo sem um contrato milionário. Por exemplo:

- Constrói a estrutura do corpo, inclusive músculos, órgãos, ossos e tecidos conectivos.
- Na forma de enzimas, ajuda na digestão dos alimentos.
- Como um hormônio, diz ao corpo quando usar o alimento como energia e quando armazená-lo como gordura.
- Transporta o oxigênio através do sangue para músculos e órgãos.
- Como um anticorpo, protege-o da doença quando vírus e bactérias atacam.

Portanto, a proteína é fundamental para auxiliar o organismo a funcionar nos níveis ideais. Mas esse nutriente figura como a base da Dieta do Abdômen por outras quatro razões cruciais.

1. TEM UM GOSTO AGRADÁVEL. Bifes suculentos. Fatias de peru defumado. Lombinho assado. Salmão grelhado. A Dieta do Abdômen baseia-se nos alimentos que você deseja. Assim, não é um programa ao qual você vai aderir com o maior esforço, e sim com a maior satisfação.

2. QUEIMA CALORIAS MESMO ENQUANTO ESTÁ SENDO SABOREADA. Os alimentos contêm energia na forma de ligações químicas, porém o organismo não pode usá-la desse modo. Ele precisa decompor o alimento e extrair a energia da ligação química. Esse processo de extrair energia requer energia, e o corpo gasta mais calorias ao realizá-lo. Trata-se do efeito térmico de comer, como expliquei no capítulo 3. A proteína expande tremendamente o funcionamento do efeito térmico: demanda quase duas vezes mais energia para ser decomposta do que os carboidratos. Ao compararem os benefícios de uma dieta rica nesse nutriente aos de uma dieta com predominância de carboidratos, pesquisadores da Universidade Estadual do Arizona constataram que as pessoas que comiam mais proteínas queimavam duas vezes mais calorias nas horas subseqüentes às refeições do que os participantes que se alimentavam com uma quantidade maior de carboidratos.

3. PROPORCIONA A SENSAÇÃO DE SACIEDADE. Pesquisas têm demonstrado que refeições baseadas em proteínas fazem com que a pessoa se sinta satisfeita mais depressa.

4. DESENVOLVE OS MÚSCULOS E MANTÉM O CORPO QUEIMANDO GORDURA DURANTE O DIA INTEIRO. Lembre-se de um fator importante: quanto mais músculos, maior

a queima de gordura. A atividade de levantar e abaixar pesos cria fissuras microscópicas na musculatura. Para repará-las, a proteína age como a Cruz Vermelha em uma área de desastre. O corpo lança uma proteína nova de pára-quedas para avaliar os danos e restaurar o músculo. As proteínas fortalecem a estrutura celular original criando novas fibras musculares.

Todo esse processo, por meio do qual as proteínas constroem novas fibras musculares depois de um exercício, pode durar de 24 a 48 horas. Portanto, se você treina com pesos três vezes por semana – acionando as proteínas para reparar os músculos –, seu corpo permanece essencialmente no estágio de desenvolvimento muscular, queimando gordura todos os dias.

Como você já sabe, a proteína é ingerida em muitas formas, como peru, carne bovina, peixe, nozes e tofu. Seu objetivo será se concentrar nas proteínas que mais favorecem o desenvolvimento dos músculos. As pesquisas mostram que a proteína animal é mais eficaz para desenvolver a musculatura do que a proteína da soja e de outros vegetais. Portanto, ave, peixe e cortes magros de carne bovina e de porco são opções melhores do que tofu e outros produtos baseados na soja. Se você é do tipo que gosta de contar, tente obter cerca de 1g de proteína por aproximadamente 500g de peso corporal por dia, o que é mais ou menos a quantidade de proteína que o organismo pode usar diariamente. Para um homem de 80kg, isso corresponde a 160g de proteína por dia, o que seria fornecido em uma dieta como a seguinte:

3 OVOS (18G)
2 XÍCARAS DE LEITE DESNATADO (16G)
1 XÍCARA DE QUEIJO COTTAGE (28G)
1 SANDUÍCHE DE ROSBIFE (28G)
70G DE AMENDOIM (16G)
200G DE PEITO DE FRANGO (54G)

Combine esses quatro motivos – um programa alimentar fácil e saboroso, mais calorias usadas, menos calorias ingeridas e mais músculos queimando gordura – e você compreenderá como uma dieta rica em proteínas proporciona perda de peso. Pesquisadores dinamarqueses submeteram três grupos de pessoas, num total de 65 participantes, às seguintes dietas: uma com 12% de proteína diet, outra com 25% de proteína diet e a terceira com proteína comum (o grupo de controle). Nos dois primeiros grupos, a mesma porcentagem de calorias – cerca de 30% – originava-se da gordura. Enquanto as pessoas que se alimentaram com menos proteína perderam em média 5kg, os participantes submetidos às dietas com maior concentração desse nutriente emagreceram em média 9kg e ingeriram menos calorias do que os integrantes do outro grupo.

A estatística mais surpreendente, porém, não foi a quantidade de gordura eliminada, e sim de onde ela desapareceu: as pessoas que seguiram as dietas com mais proteína queimaram duas vezes mais gordura abdominal. Uma razão pode ser a de que uma alimentação mais rica nesse nutriente auxilia o corpo a controlar os níveis de cortisol, um hormônio do estresse que faz a gordura convergir para a região abdominal.

Gordura: uma substância incompreendida

QUANDO VOCÊ PENSA EM GORDURA, provavelmente imagina alimentos que têm muita gordura – ou em pessoas gordas. Depois de passar alguns anos suportando seus quilos extras, a única coisa que sabe sobre o assunto é que está cansado de ser gordo e quer se livrar desse problema para sempre. Mas a gordura é provavelmente um dos mais incompreendidos nutrientes do organismo. E isso decorre de uma crença bastante difundida porém equivocada: a de que cabe a ela grande parte da culpa pela obesidade.

Na década de 1980, o governo dos Estados Unidos divulgou normas nutricionais que diziam, essencialmente, que as pessoas deviam basear a alimentação em batata, arroz, cereais e massas, reduzindo ao mínimo os alimentos com muita gordura e proteína. Isso dava a idéia de que a gordura as fazia ganhar peso. Além disso, estimulou uma nova série de dietas, nas quais a diminuição da gordura na alimentação reduziria a gordura que a falta de exercícios faz se acumular no abdômen. Mas essa linha de pensamento não resistiu quando os cientistas tentaram encontrar vínculos entre dietas de pouca gordura e a perda de gordura corporal.

Quando um pesquisador de Harvard, Walter Willett, tentou encontrar provas de que isso ocorria, não conseguiu descobrir nenhuma ligação entre pessoas que emagreciam e o fato de fazerem uma dieta de pouca gordura. Em alguns estudos, que duraram um ano ou mais, grupos de participantes apresentaram ganhos de peso com dietas pobres em gordura. Willett apontou um provável mecanismo responsável por isso: quando o organismo é submetido a um regime alimentar com pequena quantidade de gordura por um longo período, ele pára de perder peso.

Parte do motivo para o corpo se rebelar contra as dietas desse tipo é o fato de que necessitamos da gordura. Por exemplo, ela desempenha um papel vital na distribuição das vitaminas A, D, E e K, nutrientes que ficam armazenados nos tecidos gordurosos e no fígado até o momento em que o corpo precisa usá-los. Também favorece a produção de testosterona, hormônio que ajuda a desencadear o desenvolvimento muscular. Além disso, assim como a proteína, contribui para a sensação de saciedade e controla o apetite. Na verdade, se aprendemos alguma coisa sobre a perda de peso nos últimos anos, foi que a redução do consumo de gordura não acarreta necessariamente a diminuição da gordura corporal. Um pequeno estudo comparou uma dieta rica em carboidratos com uma dieta rica em gordura. Os pesquisadores verificaram que os participantes que ingeriram mais gordura apresentaram menos perda muscular do que os demais. Segundo esses estudiosos, a alimentação com maior quantidade de gordura fez com que a proteína muscular fosse poupada, porque os ácidos graxos, mais do que os carboidratos, eram captados e usados como energia.

Aqui estão os princípios elementares sobre as gorduras presentes na sua vida:

GORDURA TRANS: MÁ. As gorduras trans foram inventadas pelos fabricantes de alimentos na década de 1950 como uma forma de atrair nosso desejo natural por comidas gordurosas. Mas elas não têm nada de natural: são substâncias químicas que aumentam o colesterol, enfraquecem o coração, causam diabetes e estufam o abdômen. Pesquisas as vincularam a cerca de 30 mil mortes prematuras nos Estados Unidos todos os anos. Em um estudo realizado pela Universidade de Harvard, pesquisadores verificaram que extrair meros 3% das calorias diárias de gorduras trans aumenta o risco de doença cardíaca em 50%. Três por cento de calorias diárias representam cerca de 7g de gorduras trans – mais ou menos a mesma quantidade presente em uma única porção de batata frita.

Para compreender o que são essas gorduras, imagine uma garrafa de óleo vegetal e um tablete de margarina. Na temperatura ambiente, o óleo vegetal é líquido e a margarina é sólida. Se você fizesse biscoitos usando óleo vegetal, eles ficariam bastante gordurosos. E quem compraria um biscoito boiando em óleo? Assim, para produzir biscoitos, bolos, tortas, sorvetes, waffles e muitos outros produtos, os fabricantes esquentam o óleo em altas temperaturas e adicionam hidrogênio. Ao se ligar ao óleo, o hidrogênio cria uma forma inteiramente nova de gordura – a trans –, que fica sólida na temperatura ambiente. O óleo vegetal transforma-se em margarina. Por isso, os alimentos que podiam ser naturalmente saudáveis – mas talvez não tão saborosos – viram bombas de gordura.

Como as gorduras trans não existem na natureza, o organismo tem grande dificuldade de processá-las. Depois de consumidas, ficam livres para causar todos os tipos de males. Aumentam o número de partículas de colesterol LDL (bandido) na corrente sangüínea ao mesmo tempo em que diminuem o colesterol HDL (mocinho). Também elevam os níveis de outras lipoproteínas no sangue – e, quanto mais lipoproteínas na corrente sangüínea, maior a probabilidade de ocorrência de doenças cardíacas. O consumo elevado desse tipo de gordura tem sido vinculado ainda ao aumento do risco de câncer.

As gorduras trans, no entanto, são acrescentadas a uma quantidade impressionante de alimentos. Costumam aparecer nos rótulos nutricionais como "gordura vegetal hidrogenada" ou "parcialmente hidrogenada". Dê uma olhada na despensa e na geladeira. Você não vai acreditar na quantidade de itens em que elas estão presentes. Bolachas, pipocas, biscoitos, porções congeladas de peixe e frango, barras de chocolate, recheios. Até mesmo comidas aparentemente saudáveis – como bolinhos de farelo de trigo, cereais em caixa e pastas cremosas – estão muitas vezes impregnadas de gorduras trans. Por se esconderem em produtos que parecem ter pouca gordura, elas estão acabando com sua saúde sem que você perceba.

Como escolher uma multivitamina

As multivitaminas são um bom seguro para o dia em que você não obtiver a quantidade máxima diária de nutrientes. Procure um produto com concentração de cromo e vitaminas B_6 e B_{12}. O cromo melhora a capacidade que o corpo tem de converter aminoácidos em músculos. Um estudo realizado pela Universidade de Maryland revelou que os homens que faziam exercícios regulares com pesos e consumiam 200mcg desse mineral por dia adquiriam mais músculos e perdiam uma quantidade muito maior de gordura do que aqueles que se exercitavam da mesma forma, mas não tomavam o suplemento. Além disso, como o treinamento com pesos reduz as vitaminas B, é bom consumi-las em altas doses. Uma boa indicação é a Solaray Golden Multi-Vita-Min, que contém megadoses de vitaminas B_6 e B_{12} e a dose diária permitida de zinco, que aumenta a resistência, mas talvez seja difícil encontrá-la no Brasil.

Assuma o controle do seu consumo de gordura trans. Verifique os rótulos nutricionais de todos os alimentos embalados. Sempre que encontrar a indicação "gordura vegetal hidrogenada" ou "parcialmente hidrogenada", procure uma alternativa. E lembre-se de uma coisa: quanto mais alta estiver na lista de ingredientes a indicação "gordura vegetal hidrogenada" ou "parcialmente hidrogenada", pior o alimento. Talvez não seja possível eliminar essas gorduras completamente, mas você pode escolher itens que as apresentem em uma quantidade mínima.

Para mais informações sobre as gorduras trans e dicas de como substituí-las, veja o RELATÓRIO ESPECIAL na página 107. Enquanto isso...

EVITE

Frituras

Margarina

Produtos comerciais assados

Qualquer alimento com a indicação "gordura vegetal hidrogenada" ou "parcialmente hidrogenada" na lista de ingredientes

GORDURA SATURADA: MÁ. As gorduras saturadas são gorduras naturais, encontradas nas carnes e nos laticínios. O problema com essas gorduras é que, uma vez consumidas, elas tendem a ter o mesmo destino que tinham quando estavam no corpo do porco ou da vaca: em vez de serem queimadas como energia, é mais provável que sejam acumuladas como gordura no abdômen, nas costelas e nas nádegas. Parece que seu "efeito de armazenagem" é maior do que o das outras gorduras. Um estudo realizado pela Universidade Johns Hopkins indica que a quantidade de gordura saturada na alimentação pode ser diretamente proporcional à quantidade de gordura em torno dos músculos abdominais. Pesquisadores analisaram as dietas de 84 pessoas e efetuaram um exame de ressonância magnética em cada uma delas para medir a gordura. Quem ingeria mais gorduras saturadas apresentava mais gordura abdominal. Essas gorduras também elevam os níveis de colesterol, por isso aumentam o risco de doenças cardíacas e de alguns tipos de câncer.

Não quero que você elimine inteiramente as gorduras saturadas. Afinal, elas estão presentes na maioria dos produtos animais, que são importantes para a Dieta do Abdômen por outros motivos – o cálcio dos laticínios, a proteína das carnes. No entanto, procure consumir os que forem mais magros e menos gordurosos. Seu objetivo é obter o benefício nutricional de uma parte do alimento sem as elevadas quantidades de gordura saturada.

EVITE

Cortes gordurosos de carne vermelha

Laticínios de leite integral

GORDURA POLIINSATURADA: BOA. Há dois tipos de gorduras poliinsaturadas: ômega-3 e ômega-6. É bem provável que você já tenha ouvido falar dos ácidos graxos de ômega-3. São as gorduras encontradas no peixe. Foi constatado que uma dieta rica em ômega-3 aumenta a proteção contra doenças cardiovasculares. Há muitos motivos para incluir os alimentos do mar na sua dieta, mas novas descobertas sugerem que esse tipo de gordura pode ajudar a controlar o peso.

HISTÓRIA DE SUCESSO DA DIETA DO ABDÔMEN

"A Dieta do Abdômen me ajudou a enganar a morte!"

Nome: Dan Shea
Idade: 40 anos
Altura: 1,70m
Peso inicial: 102kg
Seis semanas depois: 94kg

Dan Shea foi testemunha do que acontece a um homem que não cuida do peso e da saúde. Não queria passar pela mesma experiência. Seu pai, um ex-oficial do Exército americano, que tivera uma forma física excepcional, estava então, aos 70 anos, prestes a perder um pé para a diabetes. Shea queria traçar um rumo diferente para sua vida. "Pretendo estar esquiando quando chegar a essa idade", diz ele.

No entanto, aos 40 anos de idade, com 1,70m de altura, pesando 102kg, Shea sabia que precisava realizar uma mudança radical – livrar-se de 27kg. Queria ver a filha de 13 anos crescer, mas do jeito como estava vivendo sabia que havia um infarto à sua espera. Por isso, iniciou a Dieta do Abdômen. Compreendeu que não comia o suficiente no café da manhã. Também entendeu a importância de se alimentar com freqüência. Passou a fazer

Em um estudo, as pessoas que tomavam 6g por dia de suplemento de óleo de peixe queimavam mais gordura ao longo de um dia do que os participantes que não faziam isso. Os pesquisadores supõem que uma dieta rica em ômega-3 altera o metabolismo e o impulsiona a queimar gordura com mais eficiência.

Você pode tomar os suplementos de óleo de peixe se quiser, contudo perderá os benefícios proporcionados ao desenvolvimento muscular pela proteína presente no peixe. O interessante é que os peixes com os níveis mais altos de ômega-3 estão provavelmente entre os mais apreciados: salmão e atum, para indicar apenas dois. (Consulte a tabela na página 64 para verificar que posição seu peixe predileto ocupa.) Além de contar com o ômega-3, que faz bem ao coração e queima gordura, o peixe também é uma grande fonte de proteína magra, que serve para o desenvolvimento muscular.

Há outro Alimento Poderoso, surpreendente e secreto, que os fisiculturistas conhecem muito bem, mas do qual muita gente nunca ouviu falar: a linhaça, ou semente do linho. Quase nunca usado como cereal, o linho é pleno de

---

um lanche no meio da manhã que incluía alguns Alimentos Poderosos."Embora estivesse sem apetite, eu não deixava de comer. Tive que lutar contra anos de hábitos alimentares para fazer essa pequena refeição. Se não comesse, estaria faminto na hora do almoço."

Mas o que Shea mais aprecia na Dieta do Abdômen são as "vitaminas" que ele prepara com iogurte light, leite desnatado, algumas frutas e 1 colher de proteína em pó."É a melhor coisa do mundo – é como tomar sorvetes que não engordam. Às vezes acrescento 2 colheres de uma cobertura sem gordura e sem açúcar. Minha vida agora gira em torno dessas 'vitaminas'. Elas são o meu lanche preferido – na verdade, minhas refeições favoritas. Se pudesse ter um liquidificador no escritório, tomaria pelo menos três vezes por dia."

Shea emagreceu 8kg com este programa. E, agora que transformou a Dieta do Abdômen no seu plano alimentar e nutricional regular, deseja chegar aos 75kg. "Estou com uma ótima aparência, pelo menos é o que diz minha mulher. As calças estão mais folgadas e preciso de um novo cinto. Já posso usar a camisa para dentro da calça. Meu nível de confiança aumentou bastante. Ando com a coluna mais ereta e tenho a sensação de que sou mais alto. Há pouco tempo fiz uma entrevista para um emprego. Não tinha as qualificações necessárias, mesmo assim quase fui escolhido pela força da minha presença. Perdi a barriga e o traseiro, mas acima de tudo meu peito já não é tão grande. Sei que é um plano extraordinário e tenho certeza de que alcançarei meu objetivo. Pretendo continuar por muito tempo, pois é um esquema fácil de cumprir a longo prazo."

ômega-3 e contém uma fibra que combate o colesterol. A linhaça e o óleo de linhaça são vendidos na maioria das lojas de produtos naturais. Compre-os sem hesitar! Eu guardo a linhaça na geladeira. Acrescento-a a cereais e saladas de frutas e também a espalho por cima de sorvetes. Tem um sabor suave de nozes que você vai apreciar. Destrói o colesterol com o ômega-3, acrescenta fibras para limpar as artérias e pode ser sua melhor arma contra a gordura.

Os ácidos graxos com ômega-6 também contribuem para baixar o colesterol ruim e aumentar o colesterol bom. São encontrados em óleos vegetais, carnes, ovos e laticínios. Na verdade, estão presentes em tantos alimentos que apenas náufragos em uma ilha deserta, vivendo do que o mar despeja na areia, precisam se preocupar com a possibilidade de não os terem em quantidade suficiente na sua dieta.

COMA EM MAIS QUANTIDADE

Peixe

Linhaça e óleo de linhaça

GORDURA MONOINSATURADA: BOA. As gorduras monoinsaturadas são encontradas em nozes, azeitonas, amendoim, abacate, azeite extravirgem de oliva e óleo de canola. Assim como o ômega-3, favorecem a redução dos níveis de coles-

Alimentos do mar com altas concentrações de ômega-3

Todos os dados são para porções de 85g (exceto no caso da sardinha, com porções de 110g). O objetivo é obter um total de 2,5g de ômega-3 por dia.

TIPO DE PEIXE	CONTEÚDO DE ÔMEGA-3	PREPARO
Sardinha	2,4g	Em lata
Cavalinha	1,9g	Assada
Salmão	1,6g	Aferventado
Atum	1,5g	Grelhado
Ostra	1,4g	Cozida
Truta	1,2g	Assada
Tubarão	1,1g	Grelhado
Peixe-espada	1,1g	Grelhado

terol e protegem contra doença cardíacas, mas também contribuem para a perda de gordura. Em um estudo, os pesquisadores observaram que o corpo queima mais gordura nas cinco horas subseqüentes a uma refeição rica nessas gorduras do que após uma refeição em que predominam gorduras saturadas.

As gorduras monoinsaturadas não apenas baixam o colesterol e ajudam a diminuir a barriga como contribuem para aplacar a fome. Pesquisadores da Universidade Estadual da Pensilvânia constataram que os homens que consumiam purê de batata preparado com óleo rico em gorduras monoinsaturadas, como o azeite extravirgem de oliva, sentiam-se mais satisfeitos por mais tempo do que quando comiam o purê feito com gorduras poliinsaturadas.

Carboidratos: uma péssima reputação

COM AS SURRAS QUE OS CARBOIDRATOS têm levado durante os últimos anos, é de admirar que o pão ainda não esteja protegido por alguma lei das espécies em extinção. Por toda parte para onde olho, vejo pessoas comendo hambúrgueres sem o pão, pedindo espaguete com almôndegas – mas sem o espaguete! – ou se gabando da sua dieta só de bacon. Embora seja evidente que as proteínas e as gorduras proporcionam tremendos benefícios nutricionais, é injusto – e pouco saudável – chutar os carboidratos para escanteio, quase que eliminá-los da dieta.

Com um número crescente de evidências de que uma dieta rica em carboidratos contribui para o armazenamento de gordura (exceto no caso de um corredor de maratona), aceita-se cada vez mais que reduzi-los na alimentação auxilia no controle do peso. Pesquisadores da Universidade de Connecticut mostraram que pessoas que só comiam 46g de carboidratos por dia – cerca de 8% das calorias – perdiam 3kg de gordura e ganhavam quase 1kg de músculo em seis semanas. E isso foi demonstrado com uma dieta bastante satisfatória de 2.337 calorias por dia. Mas eliminar inteiramente os carboidratos pode ser um grande erro. Muitos deles – como frutas, legumes, cereais integrais e feijões – oferecem proteção contra o câncer e algumas doenças, enquanto outros contêm nutrientes, como as fibras, que auxiliam no emagrecimento e na administração do peso.

A confusão envolvendo os carboidratos resultou da necessidade de descobrir meios para classificá-los e calcular quais são os melhores para o organismo. Eles eram analisados apenas por sua estrutura molecular, simples ou complexa. Os carboidratos simples são os que têm uma ou duas moléculas de açúcar, como é o caso da sacarose (presente no açúcar de mesa), da frutose (contida nas frutas) e da lactose (encontrada nos laticínios). Os carboidratos complexos são os que apresentam mais de duas moléculas de açúcar, como massas, arroz, pão e batata. O problema é que não se pode generalizar, dizendo que um carboidrato é bom ou mau somente com base na sua estrutura molecular. Por exemplo, uma maçã possui nutrientes e ajuda a manter o corpo esguio; o açúcar, não. Os dois são carboidratos simples, mas não podem ser comparados em termos de valor nutricional.

Em vez disso, a maneira de decidir quais carboidratos são melhores está relacionada ao modo como o corpo reage em termos químicos. Um dos instrumentos que os nutricionistas usam hoje em dia é o índice glicêmico (IG). Esse índice atribui números aos alimentos, indicando a rapidez com que cada um deles se transforma em glicose. Os alimentos com IG elevado – os que são digeridos depressa e convertidos em glicose – são em geral menos nutritivos do que os alimentos com IG baixo.

Outro termo para a glicose é açúcar no sangue – uma situação que faz com que o organismo produza insulina. A função desse hormônio é retirar da corrente sangüínea o açúcar que não está sendo usado como energia, mas sendo armazenando no corpo. Vou explicar como o processo ocorre. Os alimentos com um IG alto (como massas, pão, arroz branco e chocolate) são digeridos depressa, inundando a corrente sangüínea de açúcar. A insulina entra em cena e pergunta: "Ei, o que eu faço com tudo isso?" A glicose que não é queimada imediatamente como energia começa a ser armazenada como gordura. E ainda acontece algo pior: quando um carboidrato com IG elevado é ingerido junto com gordura – pão com manteiga, por exemplo –, essa gordura também não pode ser queimada como energia, pois a corrente sangüínea está repleta de açúcar. De fato, a insulina faz um trabalho tão bom ao converter esse novo açúcar em gordura que a concentração de açúcar no sangue começa a diminuir rapidamente, e assim a fome volta a atacar.

Quando a refeição contém um IG baixo (como um jantar balanceado de frango, legumes ricos em fibras e arroz integral), o alimento é digerido mais devagar. O açúcar no sangue sobe apenas em termos gradativos, e a digestão lenta indica que a glicose fica disponível como energia por horas e horas. Ou seja, há bastante tempo para que o açúcar no sangue seja queimado. A insulina não precisa se precipitar para transformá-lo em gordura – ela pode aproveitá-lo lentamente em outros projetos de construção, como o desenvolvimento e a reparação dos músculos. Além disso, como o açúcar no sangue permanece em níveis regulares, não surge uma fome voraz poucas horas após a refeição. Dessa forma, o corpo desenvolve mais músculos, acumula menos gordura, tem mais energia e o apetite fica sob controle.

É difícil generalizar sobre os carboidratos que ocupam uma posição elevada na lista do IG e quais deles estão lá embaixo. Isso acontece porque o índice glicêmico é simplesmente uma medida de tempo: ou seja, quanto tempo é necessário para que 50g de carboidratos do alimento se transformem em açúcar no sangue independentemente do tamanho da porção. É uma medida, por exemplo, da conversão de carboidrato em açúcar de uma maçã inteira ou de uma melancia, mas isso não determina quanto carboidrato há em uma *porção* dessas frutas. De qualquer forma, ninguém come uma melancia inteira.

Insulina: o hormônio de duas caras

A insulina é como aquela avó que não gosta de jogar nada fora: guarda tudo. O problema é que ela também é um tanto esquizofrênica: às vezes faz com que os músculos cresçam e às vezes faz com que as células gordurosas se desenvolvam.

Alimentos diferentes criam diferentes reações da insulina. Os que possuem alto índice glicêmico (incluindo pão branco, a maioria dos cereais, uva e banana) despejam muito açúcar na corrente sangüínea logo depois que são ingeridos, causando um aumento dos níveis de insulina. Então esse hormônio age rapidamente para transformar o açúcar em gordura.

Alguns produtos alimentícios, no entanto, causam outras reações. Os laticínios – leite, iogurte, sorvete – criam enormes fluxos de insulina, sem o efeito correspondente sobre o açúcar no sangue. Esse tipo de reação da insulina também é provocado por determinados alimentos que são virtualmente livres de carboidratos, como carne bovina e peixe, que quase não têm nenhum efeito sobre o açúcar no sangue. Quando esse açúcar permanece relativamente constante, ele permite que a insulina use os nutrientes presentes no sangue para construir e reparar as células, inclusive o tecido muscular.

É por isso que a Dieta do Abdômen se concentra em alimentos ricos em fibras e com muitos nutrientes, também considerados os mais úteis para o controle do peso. A maioria deles apresenta uma concentração de moderada a alta de proteína, alguns são ricos em cálcio derivado de laticínios, e os que são baseados em carboidratos possuem muitas fibras e outros componentes importantes.

É por isso que o último avanço na ciência alimentar é a determinação da carga glicêmica (CG). A CG considera tanto o IG de um alimento quanto a quantidade de carboidratos presente em uma porção dele. Ela ajuda a avaliar o efeito glicêmico, ou a elevação projetada da glicose no sangue, a ser causado pelo alimento.

Quanto maior a CG de um alimento, mais ele fará com que o açúcar no sangue aumente. Assim, será mais difícil controlar os níveis de energia e o apetite. Mas considerar a CG é apenas um dos fatores envolvidos na elaboração de uma dieta balanceada. "É melhor ter uma dieta com CG alta do que uma de gordura saturada", diz Jennie Brand-Miller, Ph.D., professora da Universidade de Sydney e autora da Tabela Internacional de Índice Glicêmico e Carga Glicêmica. "A busca da menor CG possível não é uma boa iniciativa, pois assim a pessoa comerá pouco carboidrato e muita gordura – provavelmente gordura saturada." Em vez disso, para manter a melhor reação glicêmica do seu corpo, concentre a refeição em alimentos com uma CG de 19 ou menos. Tente ter uma CG total, ao longo de um dia inteiro, inferior a 120.

Parece confuso? Não precisa ser. Os Alimentos Poderosos da Dieta do Abdômen e suas receitas têm cargas glicêmicas de baixas a moderadas. Basta você seguir o programa. Nas ocasiões em que estiver em dúvida quanto a dois ou mais alimentos, consulte a tabela na página 246.

Cálcio: o futuro do combate à gordura

VOCÊ JÁ VIU MUITAS CRIANÇAS COM bigode de leite para saber que o cálcio fortalece os ossos. Mas você sabia que esse mineral também pode firmar a barriga? Uma pesquisa da Faculdade de Medicina de Harvard mostrou que pessoas que comiam três porções por dia de laticínio – o que proporciona, em conjunto com outros alimentos, cerca de 1.200mg de cálcio (mais ou menos a recomendação diária) – apresentavam 60% menos probabilidade de ter excesso de peso. Em um estudo realizado pela Universidade do Tennessee, voluntários submetidos a uma dieta com 500 calorias a menos por dia do que eles estavam acostumados a comer perderam cerca de 500g de gordura por semana. Quando outro grupo de pessoas fez a mesma dieta, porém ingerindo laticínios às refeições, essa perda dobrou para 1kg por semana. Ou seja, o mesmo consumo de calorias, o dobro da eliminação de gordura.

De acordo com os pesquisadores que conduziram esse experimento, o cálcio parece limitar a quantidade de gordura nova que o corpo consegue produzir. Em outro estudo realizado pela mesma instituição, os homens que acrescentaram três porções de iogurte por dia à dieta perderam 61% a mais de gordura corporal e 81% a mais de gordura abdominal em 12 semanas do que aqueles que não comeram iogurte. Um estudo no Havaí mostrou que os adolescentes que ingeriam mais cálcio eram mais esguios do que os que consumiam uma quantidade menor desse mineral.

Pesquisadores supõem que o cálcio presente nos laticínios ajuda a combater a gordura porque aumenta o efeito térmico de comer: em outras palavras, uma pessoa pode queimar mais calorias ao digerir alimentos ricos em cálcio do que consumindo algo com a mesma quantidade de calorias mas sem esse mineral. Esse é um dos motivos pelos quais os suplementos de cálcio, embora bons para o desenvolvimento dos ossos e outras funções fisiológicas, não produzem o mesmo efeito que os laticínios. Como nos suplementos há menos calorias para digerir, menos calorias são queimadas.

O cálcio proporciona outros benefícios além de ossos mais fortes e corpos mais esguios. Depois de analisar os dados de 47 mil homens envolvidos no Estudo de Acompanhamento de Profissionais da Saúde, pesquisadores de Harvard constataram que os participantes cujas dietas incluíam de 700 a 800mg de cálcio por dia tinham até 50% menos probabilidade de desenvolver algumas formas de câncer do cólon do que os homens cujas dietas continham menos de 550mg desse mineral. Para alcançar o melhor efeito, consuma cerca de 1.200mg diários de cálcio.

Os alimentos ricos em cálcio recomendados pela Dieta do Abdômen são os seguintes:

- 28G DE QUEIJO PARMESÃO POR DIA (314MG)
- 1 XÍCARA DE QUEIJO COTTAGE (126MG)
- 227G DE IOGURTE COM POUCA GORDURA (415MG)
- 227G DE LEITE SEMIDESNATADO (246MG)
- 28G (1 FATIA) DE QUEIJO CHEDDAR (204MG)
- 28G DE QUEIJO MUSSARELA (143MG)
- 1 COLHER (28G) DE *WHEY*, PROTEÍNA EM PÓ DO SORO DE LEITE (110MG).

BOLETIM DE SAÚDE DA DIETA DO ABDÔMEN

Afinal, o que são... células cancerosas?

O câncer é um flagelo que pode se abater sobre nós em qualquer momento da vida. Estamos sujeitos a vê-lo surgir tanto em partes do corpo nas quais pensamos e com as quais nos preocupamos todos os dias – a pele, os pulmões, o cérebro – quanto em órgãos cujo funcionamento nem sequer compreendemos muito bem, como o pâncreas e os rins.

Numa explicação simplificada, o câncer se desenvolve quando as células em uma região do corpo começam a crescer fora de controle. Enquanto somos crianças, as células se dividem constantemente, dando origem a novas células que nos ajudam a crescer. Quando nos tornamos adultos, esse desenvolvimento celular pára quase totalmente. Assim que alcançamos a altura e o peso da nossa programação genética, as células na maioria das regiões do corpo só se dividem para substituir as que estão esgotadas ou agonizantes e para reparar lesões. (É por isso que não há surto de crescimento aos 30 anos, como gostaríamos que acontecesse.)

Mas as células cancerosas agem como crianças: continuam a crescer, a se dividir e a se multiplicar, sobrevivendo às células normais e interferindo com várias funções do organismo. O tipo mais comum de câncer entre os homens é o de próstata (a próstata é a glândula situada por trás do escroto, que produz a maior parte do fluido seminal). Entre as mulheres o câncer mais freqüente é o de mama.

Não compreendemos plenamente suas causas, mas conhecemos alguns fatores de risco para o surgimento desse mal. A obesidade, as dietas com poucas fibras, o fumo, o consumo excessivo de álcool, a superexposição ao sol e a exposição à radiação e a outras toxinas figuram entre os maiores perigos. Além disso, há um forte vínculo entre hereditariedade e câncer – se um ou mais parentes tiveram a doença, a pessoa corre um risco maior de ter câncer em geral, bem como aquele tipo específico de câncer.

Eu gostaria muito de dizer que a Dieta do Abdômen é um fator mágico de prevenção do câncer, porém não posso. As mudanças dietéticas e os exercícios contribuem bastante para a redução dos riscos relacionados às doenças cardíacas, ao derrame e especialmente à diabetes, no entanto o câncer ainda é um problema difícil de entender. Mesmo assim, ao adotar os princípios da Dieta do Abdômen, você diminuirá de modo automático a probabilidade de apresentar diversos tipos dessa doença porque vai perder peso e aumentar o consumo de fibras. Enquanto isso, siga também estas dicas adicionais para intensificar sua proteção.

Aposte no tomate. O tomate é uma das melhores fontes de licopeno, um nutriente que inibe o crescimento das células cancerosas na próstata. Pesquisadores afirmam que duas a quatro porções de tomate por semana podem reduzir em 34% o risco desse tipo de câncer. (Uma notícia ainda melhor: o licopeno não é afetado quando se cozinha o tomate. Ou seja, molho de macarrão e pizza também são um golpe contra a doença.)

Faça um prato colorido. Um estudo de 14 anos constatou que os homens cujas dietas eram mais ricas em frutas e legumes corriam um risco 70% menor de ter câncer no aparelho digestivo.

Peça o tinto chileno. O Cabernet Sauvignon chileno é 39% mais rico em flavonóides – os chamados compostos antioxidantes que ajudam a prevenir o câncer – do que os vinhos franceses.

Experimente a tábua de queijos. Um estudo em larga escala, com 120 mil mulheres, mostrou que as participantes na pré-menopausa que consumiam muitos laticínios, em especial os desnatados e semidesnatados, estavam menos sujeitas ao câncer de mama. Pesquisadores de Harvard descobriram que homens com dietas ricas em cálcio apresentavam até 50% menos probabilidade de desenvolver alguns tipos de câncer do cólon.

Tome suco de cenoura. Um copo de 220g de suco puro de cenoura proporciona 700% da recomendação diária de betacaroteno, que em vários estudos tem sido associado a um risco menor de câncer.

Mastigue brócolis. O brócolis contém um composto chamado carbinol-3, que comprovadamente combate vários tipos de câncer.

Sirva-se de salmão. Ou de qualquer outro peixe rico em ácidos graxos de ômega-3, que podem favorecer a prevenção do câncer.

Vá de chá verde. Em um estudo realizado pela Universidade Rutgers, camundongos que receberam chá verde tiveram 51% menos incidência de câncer de pele do que os camundongos de controle. O chá verde é outra grande fonte de antioxidantes que combatem o câncer.

Privilegie o D. Os alimentos ricos em vitamina D, como o leite semidesnatado, contribuem para desintoxicar o organismo das substâncias causadoras de câncer durante a digestão de alimentos com grande quantidade de gordura, de acordo com um estudo realizado pelo Centro Médico da Universidade Southwestern do Texas.

BOLETIM DE SAÚDE DA DIETA DO ABDÔMEN

Afinal, o que são... células cancerosas? (cont.)

Seja um Popeye. Pesquisadores japoneses observaram que a neoxantina, uma substância presente no espinafre, foi bem-sucedida na prevenção do crescimento das células de câncer de próstata.

Experimente o soro do leite. A proteína em pó do soro do leite *(whey)* é uma grande fonte de cisteína, uma das bases do agente glutationa, que combate o câncer de próstata. É encontrada em lojas de produtos naturais e de suplementos vitamínicos.

Coma cereais integrais. Os carboidratos de cereal integral são muito ricos em fibras. Pesquisadores europeus revelaram que os homens que consomem mais fibras diariamente correm um risco 40% menor de desenvolver câncer de cólon.

| CAPÍTULO 5 |

Um abdômen esculpido em seis semanas

UM GUIA PARA MODELAR SEU CORPO SEMANA A SEMANA

COMO VOCÊ JÁ PERCEBEU, ao longo deste livro há depoimentos de homens e mulheres que fizeram a Dieta do Abdômen e tiveram êxito.

Jessica Guff, a da calça de cetim verde, deixou de pular refeições e passou a gostar muito mais de exibir suas formas. Para Bill Stanton, a mudança foi uma revelação: "Treinei com pesos durante toda a minha vida, mas meu corpo só se tornou mais esguio e mais forte do que nunca quando mudei a dieta. Os caras na academia até me acusaram de usar esteróides!"

Cada corpo é diferente dos outros, e todas as pessoas que adotam este programa partem de uma condição física diferente. Porém, com base na pesquisa científica que descrevi, você pode esperar uma perda média de até 10kg de gordura no programa de seis semanas. Os homens também contam com um ganho de 2 a 3kg em massa muscular; as mulheres, com a metade disso. Para o homem médio, já é uma transformação suficiente, pois permite o aparecimento dos músculos abdominais. Um dos maiores desafios, no entanto, é acompanhar seu progresso no programa. Vamos examinar agora as quatro medidas principais que você pode usar para verificar a eficiência com que a Dieta do Abdômen funciona no seu caso.

PESO. É a medida mais direta. Quanto mais pesado você é, maior é sua probabilidade de contrair doenças e menor é seu condicionamento físico. É uma boa medida para avaliar sua evolução na dieta, mas é incompleta, pois não leva em consideração a quantidade de músculos desenvolvidos ao longo do programa. O músculo pesa cerca de 20% a mais do que a gordura. Portanto, uma perda drástica de gordura pode não equivaler a uma redução expressiva de peso corporal.

ÍNDICE DE MASSA CORPORAL. O IMC é uma fórmula que inclui a altura e o peso e indica se a pessoa tem excesso de peso, é obesa ou está em boa forma. Para calcular o IMC, divida seu peso em quilos pelo quadrado da altura em metros. Por exemplo, se você mede 1,78m e pesa 90kg, multiplique

---

HISTÓRIA DE SUCESSO DA DIETA DO ABDÔMEN

"Eliminei metade da minha gordura corporal!"

Nome: James Schellman
Idade: 26 anos
Altura: 1,73m
Peso inicial: 74kg
Seis semanas depois: 70kg

Ex-atleta profissional e um homem ativo, que faz *snowboard* 60 dias por ano, James Schellman achava que não precisava emagrecer muito. Com o tempo, no entanto, seu estilo de vida começou a ser prejudicado por uma série de lesões. Por causa disso, ele acumulou 5kg extras na barriga. Schellman poderia ter atribuído o ganho de peso e as lesões ao fato de estar ficando mais velho, mas essa não é sua maneira de pensar. "Não pretendia diminuir meu ritmo, embora precisasse de uma mudança", diz ele. Então decidiu fazer a Dieta do Abdômen para melhorar sua condição física e aumentar o tônus muscular. Além disso, queria parecer atraente para sua mulher.

Durante o programa, ele perdeu 4kg. Houve, contudo, outra mudança mais expressiva: sua gordura corporal foi reduzida de 18 para 11%.

Schellman sempre adotou uma alimentação saudável, mas mesmo assim obteve benefícios ao seguir a Dieta do Abdômen. "Antes do programa, eu comia quatro refeições por dia e contava as calorias. Passei a fazer seis refeições diárias e aboli essa contagem." Segundo ele, ao fazer uso dos deliciosos Alimentos Poderosos, parou de se preocupar com as calorias que ingeria.

Acostumado a passar muito tempo na academia, Schellman credita aos exercícios da Dieta do Abdômen, que priorizam a parte inferior do corpo, o mérito de terem feito dele um homem mais forte e mais esguio. "Venho observando a redução da gordura abdominal e já consigo ver claramente os músculos tomando o lugar dela. O programa é um tremendo sucesso. Obtive um ganho na força geral, um aumento na motivação e adquiri mais auto-estima, sem falar no bem-estar."

1,78 x 1,78 = 3,168

e depois divida o peso por esse resultado, ou seja,

90 / 3,168 = 28,40

Não é tão terrível assim. Um IMC entre 25 e 30 indica que você está com excesso de peso. Mais de 30 corresponde à obesidade.

Essa medição também tem falhas: não leva em consideração a massa muscular e deixa de fora outro fator importante, que é a distribuição do peso, isto é, onde se encontra a maior parte da gordura no seu corpo. Mas o IMC lhe proporciona uma boa idéia da gravidade do problema em que você pode estar metido.

PROPORÇÃO CINTURA-QUADRIL. Os pesquisadores começaram a usar a medida da cintura e sua relação com o tamanho do quadril como o meio mais preciso de determinar os riscos à saúde. É considerado mais importante do que o IMC, porque considera a gordura visceral de que falei antes – a gordura que estufa a barriga. Uma vez que a gordura abdominal é a mais perigosa, uma proporção cintura-quadril menor corresponde a mais proteção à saúde. Para fazer esse cálculo, meça a cintura na altura do umbigo e tire a medida dos quadris no ponto mais largo (em torno das nádegas). Divida o resultado que encontrou para a cintura pela medida dos quadris. Por exemplo, se seus quadris têm 101cm e a cintura no nível do umbigo mede 97cm, sua proporção cintura-quadril é 0,96.

97 / 101 = 0,96

Não chega a ser ruim, mas não é o ideal. Seu objetivo deve ser uma proporção cintura-quadril de 0,92 ou mais baixa. Perdendo 5cm da cintura – o que pode fazer em apenas duas semanas com a Dieta do Abdômen –, você entrará na categoria dos que estão em boa forma física.

92 / 101 = 0,91

PORCENTAGEM DE GORDURA CORPORAL. Embora seja o índice mais difícil para uma pessoa comum calcular porque exige alguns aparelhos específicos, ele é o mais útil em termos de avaliação da eficiência do seu programa de dieta. Isso acontece porque considera não apenas o peso como também o quanto dele corresponde à gordura. Muitas academias oferecem medições de gordura corporal com a utilização de equipamentos como a balança com medidor de gordura e o plicômetro, que mede as dobras de gordura em várias partes do corpo. Verifique as opções que sua academia oferece ou procure um médico especializado.

Esse tipo de medição é o mais adequado, pois realmente lhe permite ter uma noção da eficiência com que você está seguindo o programa. À medida que a porcentagem de gordura corporal diminui, o aumento da musculatura vai se tornando visível. Os especialistas dizem que a gordura deve se situar entre 8 e 12% para que os músculos abdominais apareçam. Para o homem com pouco excesso de peso, isso equivale a cortar a gordura do corpo pela metade.

Antes de iniciar o programa, é importante que você anote os resultados dessas medições, para que possa determinar seu progresso. Preencha o quadro com essas medições básicas e torne a verificá-las como motivação. Recomendo que repita essa operação a cada duas semanas – será tempo suficiente para registrar mudanças consideráveis que o estimularão pelas duas semanas seguintes. Se as fizer em menos tempo, estará se concentrando mais nos números do que no processo. (No caso da porcentagem de gordura corporal, realize a medição apenas no início e no fim do programa, a não ser que você tenha fácil acesso aos aparelhos.)

MEDIÇÃO	INÍCIO	FIM DA SEMANA 2	FIM DA SEMANA 4	FIM
Peso				
IMC				
Proporção cintura-quadril				
Porcentagem de gordura corporal*				

* Assegure-se de que a mesma pessoa faça os registros de gordura corporal usando o mesmo método, para garantir a coerência.

Como acontece com qualquer programa de dieta, é também importante desenvolver algum objetivo quantitativo: o ideal de peso, o tamanho da cintura ou a porcentagem de gordura corporal. O quadro a seguir o ajudará a determinar onde você está e para onde precisa ir.

Não tenho a menor intenção de bombardeá-lo com números. Quando você começar a ver os músculos abdominais, isso revela que tudo mais diminuiu: o peso, o IMC, a proporção cintura-quadril e a porcentagem de gordura corporal. Este programa de seis semanas vai levá-lo até lá. Aqui está o que você pode esperar se persistir na dieta.

SEMANAS	O QUE ESPERAR	O QUE ELES DIZEM
1-2	Uma redução de peso significativa, à medida que o corpo se ajusta a uma nova maneira de comer. Algumas pessoas podem perder mais de 5kg nas duas primeiras semanas (especialmente se fazem outra atividade física todos os dias, como caminhadas), mas a média é de 2 a 4kg.	**PATRICK AUSTIN LIVROU-SE DE 7KG APENAS NAS DUAS PRIMEIRAS SEMANAS DA DIETA DO ABDÔMEN.** *"Há anos eu não ficava sem camisa na praia. Este ano passarei o tempo todo sem camisa."* Leia mais sobre o sucesso de Patrick na página 85.
3-4	Ao introduzir uma quantidade mínima de treinamento com pesos na sua rotina, você passará a perceber mudanças no seu corpo, pois o metabolismo ficará mais acelerado. Observará uma queda adicional no peso (em média, 2 a 4kg) e uma sensível alteração nos seus contornos.	**BRIAN ARCHIQUETTE PERDEU 12KG EM SEIS SEMANAS.** *"Agora tenho mais energia e uma perspectiva mais otimista da vida."* Leia mais sobre o sucesso de Brian na página 138.
5-6	Depois de duas semanas de exercícios, o corpo está pronto para uma queda considerável de gordura, ao mesmo tempo que também ganha massa muscular. Você vai notar que a parte superior do corpo está mais tonificada. As dimensões da cintura e de outras regiões em que há concentração de gordura terão se reduzido. Dependendo do seu ponto de partida, é o momento em que começará a ver os músculos abdominais.	**JOHN BETSON DIMINUIU A GORDURA CORPORAL DE 23 PARA 16%.** *"As pessoas conseguem ver meus músculos abdominais."* Leia mais sobre o sucesso de John na página 118.

O mais extraordinário neste programa é a simplicidade com que pode ser seguido, a freqüência com que você come – todas as refeições e lanches são saborosos e servem para desenvolver os músculos e queimar gordura – e seu diferencial em relação a outras dietas. Nos termos mais simples possíveis, é um programa que lhe pedirá que:

- Faça três refeições e três lanches por dia, cada um deles incluindo vários dos Alimentos Poderosos.
- Mantenha-se atento a um punhado de destruidores de dieta, que você aprenderá a localizar com facilidade e a reduzir na sua alimentação – e não eliminar.
- Faça exercícios simples três vezes por semana para acelerar a perda de gordura e o desenvolvimento muscular.

A Dieta do Abdômen é tão simples que, ao contrário da maioria dos regimes alimentares, não se divide em fases. Também não elaborei um complexo programa de "manutenção" (apenas menciono algumas palavras na página 235). A redução do peso e os ganhos musculares serão seus para sempre, assim como o plano alimentar. Garanto que você não se sentirá ansioso pelo fim da "dieta". Vai gostar tanto dela – e ficará tão maravilhado com os resultados – que a seguirá sem nenhum esforço pelo resto da vida.

Outras pessoas já fizeram isso – e elas se encontravam em uma condição física pior do que a sua. Quando explicam o motivo pelo qual deu certo, falam sobre a simplicidade do programa e sua capacidade de evitar a fome. A Dieta do Abdômen vai mudar sua aparência, sua saúde e sua vida.

| CAPÍTULO 6 |

O programa de nutrição da Dieta do Abdômen

OS ALIMENTOS PODEROSOS E O SISTEMA QUE MUDARÁ SEU CORPO

NOS CAPÍTULOS ANTERIORES APRESENTEI uma visão geral de fatos científicos: como o corpo reage a diferentes alimentos, por que algumas gorduras são boas e outras são más e como alguns produtos, como os laticínios, possuem um ingrediente secreto que favorece a queima de gordura. Os dados científicos podem ser interessantes, mas neste ponto da leitura é provável que você já tenha uma pergunta na ponta da língua: afinal, o que eu posso comer?

Por isso, vou esclarecer tudo, pois consumir maiores quantidades dos alimentos certos e com mais freqüência é a base da Dieta do Abdômen. Lembre-se:

MAIS ALIMENTOS = MAIS MÚSCULOS = MENOS FLACIDEZ.

É o motivo pelo qual a Dieta do Abdômen não é uma dieta que você "tem" que fazer, e sim uma dieta que você quer fazer.

Conversei com muitas pessoas que experimentaram vários regimes alimentares. Não foram poucas as que descreveram a tentativa de manter um plano rigoroso de dieta como se estivessem no mar, com a água pelo pescoço, sendo atacadas por uma onda após outra. As ondas se sucedem, por exemplo, na forma de doces e salgadinhos que os colegas levam para o escritório e de todas as tentações que você mesmo encomenda para a festa de aniversário do seu filho. Quando você olha para uma onda que é claramente maior do que sua altura, tem três opções. Pode voltar correndo para a areia ou tentar pular por cima dela. Essas duas soluções o deixarão com a roupa de banho cheia de areia. No entanto, se mergulhar na onda de cabeça, sairá intacto no outro lado. O mesmo acontece com uma dieta. Uma opção é procurar escapar, evitando restaurantes, festas, reuniões e qualquer situação ou lugar que possa seduzi-lo com iguarias irresistíveis. A outra escolha é o caminho do sacrifício, mas pedir uma salada e água depois de jogar futebol com os amigos não é nada fácil. Se você deseja que uma dieta dê certo (no caso, sair no outro lado deste programa com um novo corpo), sua única chance é poder contar com a flexibilidade e a liberdade para evitar a fome, com a certeza de que comerá bem, independentemente de qualquer outra coisa.

Você está prestes a mergulhar de cabeça na Dieta do Abdômen.

Norma 1: faça seis refeições por dia

ESTAMOS TÃO ACOSTUMADOS A OUVIR esse papo de que precisamos comer menos que isso se tornou a doutrina da perda de peso. No entanto, como você deve estar lembrado, pela fisiologia do metabolismo, temos que nos alimentar com mais freqüência para mudar a composição do corpo. A nova filosofia que vamos seguir é a do "equilíbrio de energia".

Pesquisadores da Universidade Estadual da Geórgia desenvolveram uma técnica para medir hora a hora o equilíbrio de energia, isto é, a quantidade de calorias que está sendo queimada versus a quantidade de calorias que está

Risco da obesidade

Quase tão importante quanto o que você come é quando come. Pesquisadores da Universidade de Massachusetts analisaram os hábitos alimentares de 500 homens e mulheres. Verificaram associações entre a maneira como as pessoas se alimentam e o risco da obesidade.

HÁBITO	ALTERA O RISCO DA OBESIDADE EM
Comer pelo menos um lanche no meio do dia	– 39%
Tornar o jantar a principal refeição do dia	+ 6%
Esperar mais de três horas depois de acordar para tomar o café da manhã	+ 43%
Fazer mais de 1/3 das refeições em restaurantes	+ 69%
Ir para a cama com fome (três ou mais horas após a última refeição ou lanche)	+ 101%
Tomar o café da manhã fora de casa	+ 137%
Não tomar o café da manhã	+ 450%

sendo ingerida. De acordo com esse método, se a pessoa mantiver o superávit ou o déficit entre 300 e 500 calorias em todos os momentos, terá mais possibilidade de mudar a composição do seu corpo, descartando gordura e acrescentando massa muscular magra. Os participantes que apresentaram desequilíbrios mais expressivos de energia (os que ficavam acima de 500 calorias na ingestão ou no gasto) eram os mais gordos, enquanto os que tinham níveis de energia mais equilibrados eram os mais magros. Portanto, quem faz apenas três refeições diárias cria enormes desequilíbrios nos níveis de energia. No período entre as refeições, a quantidade de calorias queimadas é maior do que o número de calorias consumidas. Durante as refeições, muito mais calorias são ingeridas do que queimadas. No mesmo estudo, as pessoas que acrescentaram três lanches por dia às três refeições regulares equilibraram melhor sua energia, eliminaram gordura e aumentaram a massa corporal magra (além de terem incrementado a força e a resistência).

A ciência confirma que um número maior de refeições é um recurso que dá resultados. Mas o motivo puro e simples para isso é que esse procedimento produz um efeito não alcançado por muitas dietas: deixa a pessoa sempre satisfeita, sem fome, o que reduz a probabilidade do que se convencionou chamar de farra alimentar, que destrói qualquer dieta.

COMO FUNCIONA. Por uma questão de conveniência, alterne as refeições maiores com os lanches. Faça um lanche cerca de duas horas antes do almoço e outro duas horas antes do jantar.

Experimente a seguinte programação:

8H: CAFÉ DA MANHÃ
11H: LANCHE
13H: ALMOÇO
17:30H: LANCHE
20H: JANTAR
22H: LANCHE

Para um plano completo de refeições em sete dias, consulte o quadro na página 88. Não é um esquema ao qual você precise se apegar de forma inflexível, mas apenas uma sugestão sobre como fazer a Dieta do Abdômen funcionar no seu caso. Também mostra de que maneira incorporar à sua vida cotidiana as receitas apresentadas no capítulo 8.

Norma 2: converta os 11 Alimentos Poderosos da Dieta do Abdômen na base da sua alimentação

A DIETA DO ABDÔMEN VAI LHE ENSINAR a privilegiar (e não se restringir a) determinados tipos de alimentos – os 11 Alimentos Poderosos – para suprir suas necessidades nutricionais básicas. Todos eles são excelentes e quase que sozinhos transformarão sua gordura em músculos (desde que as receitas sejam mantidas). Igualmente importante: fiz o esquema dos 11 Alimentos Poderosos para incluir, literalmente, milhares de combinações de itens. Há uma grande quantidade de laticínios, frutas e legumes, carnes magras e outras opções para atender todas as preferências. A incorporação desses componentes nas suas seis refeições diárias é capaz de satisfazer suas predileções e desejos e assim evitar que você se empanturre com perigosos causadores de gordura.

Há mais informações sobre os Alimentos Poderosos no capítulo 7. Por enquanto, quero apenas lembrá-lo:

AMÊNDOAS E OUTRAS NOZES

AVEIA INSTANTÂNEA (SEM ADOÇANTE, SEM SABOR ARTIFICIAL)

AZEITE EXTRAVIRGEM DE OLIVA

ESPINAFRE E OUTRAS VERDURAS

FRUTAS VERMELHAS, COMO MORANGO, FRAMBOESA E AMORA

FEIJÕES E LEGUMINOSAS

LATICÍNIOS – LEITE SEMIDESNATADO OU DESNATADO, IOGURTE E QUEIJO COM POUCA GORDURA (COTTAGE)

OVOS

PÃES E CEREAIS INTEGRAIS

PERU E OUTRAS CARNES MAGRAS

WHEY (PROTEÍNA EM PÓ DO SORO DO LEITE)

Norma 3: tome "vitaminas" regularmente

COM A GRANDE QUANTIDADE DE compromissos que quase todos nós temos hoje em dia, não é de admirar que sua definição de utensílios de cozinha se restrinja a abridores de garrafas e latas. Mas agora você precisa abrir uma exceção para um aparelho um pouco maior: um liquidificador. Não me importa quantas velocidades ele tem nem qual é a marca. Também não faz diferença para mim a maneira como você prepara a "vitamina" – se a prefere simples ou com frutas picadas. Só me importa saber se vai misturar direito todos os ingredientes e que gosto a mistura terá ao ser despejada no copo. (Mas recomendo: compre um liquidificador grande e com boa potência para que possa picar bem as frutas e também gelo.)

Quando você levar em conta que a mudança no seu corpo exige tempo, motivação e conhecimento, pense no liquidificador como um dos instrumentos mais poderosos do programa. As "vitaminas" feitas com uma mistura dos Alimentos Poderosos podem substituir refeições e ser lanches extraordinários. São muito benéficas por vários motivos:

- Exigem pouco tempo de preparo.
- Satisfazem o desejo por doces. Se forem elaboradas com frutas vermelhas, *whey* (proteína em pó do soro do leite) ou manteiga de amendoim, ficarão com gosto de sobremesa.
- Como têm bastante consistência, ocupam muito espaço no estômago.

Não sou muito de cozinhar. Quando quero uma refeição rápida e saudável, despejo no liquidificador leite, iogurte de baunilha com pouca gordura, aveia instantânea não cozida, manteiga de amendoim* e 2 colheres de chá de *whey* achocolatado. Depois é só apertar o botão. Você pode combinar os ingredientes de acordo com seu gosto (ver as receitas no capítulo 8), mas use leite, iogurte, *whey* e gelo como base. Aqui está a prova de que essas "vitaminas" o ajudarão a controlar o peso.

* É verdade que a manteiga de amendoim tem desvantagens: apresenta uma grande quantidade de calorias. Mas é rica em gorduras monoinsaturadas, benéficas para o coração, que podem aumentar a produção de testosterona, hormônio que favorece o desenvolvimento dos músculos e a eliminação de gordura. Se você tiver dificuldade em encontrar este produto, substitua por Nutella.

- Pesquisadores da Universidade Purdue mostraram que as pessoas permaneciam mais satisfeitas por mais tempo quando tomavam "vitaminas" mais consistentes do que mais ralas, mesmo quando as calorias, a temperatura e as quantidades eram iguais.
- Um estudo realizado pela Universidade Estadual da Pensilvânia constatou que os homens que consumiam "vitaminas" de iogurte batidas até que alcançassem o dobro do volume ingeriam 96 calorias a menos do aqueles que tomavam "vitaminas" de densidade normal.
- Em uma pesquisa apresentada na Associação Norte-Americana de Estudo da Obesidade, pesquisadores constataram que substituir regularmente as refeições por "vitaminas" aumenta a chance de emagrecer e se manter assim por mais de um ano.
- Um estudo realizado pela Universidade do Tennessee revelou que os homens que acrescentavam três porções diárias de iogurte à dieta perdiam 61% mais gordura corporal e 81% mais gordura abdominal do que aqueles que não comiam esse alimento. Os pesquisadores supõem que o cálcio ajude a queimar gordura e a limitar a quantidade de nova gordura que o corpo pode produzir.

COMO FUNCIONA: tome uma "vitamina" de 220g para substituir o café da manhã ou como um lanche, antes ou depois do exercício.

Norma 4: pare de contar calorias

EMBORA A QUEIMA DE CALORIAS seja mais importante do que eliminar gordura, a contagem de calorias o fará perder o foco e a motivação. Porém, consumindo os 11 Alimentos Poderosos da Dieta do Abdômen e muitos outros itens relacionados, os próprios alimentos, de certa forma, realizarão os cálculos para você. Permitirão que se mantenha saudável e se sinta satisfeito, sem o menor sinal de fome.

É claro que isso não lhe dá licença para acelerar na estrada das porções monstruosas. A maioria das pessoas afirma que controla o que come, mas quase ninguém tem a menor idéia do que está ingerindo. Um estudo do Departamento de Agricultura dos Estados Unidos perguntou a homens o que eles comiam e depois conferiu os dados. A verdade: os participantes de 25 a 50 anos consumiam duas vezes mais cereais, gordura e doces do que estimavam.

HISTÓRIA DE SUCESSO DA DIETA DO ABDÔMEN

"Esvaziei o pneu nos meus quadris!"

Nome: Patrick Austin
Idade: 33 anos
Altura: 1,83m
Peso inicial: 111kg
Seis semanas depois: 97kg

Patrick Austin achava que tinha a solução perfeita para os pneus que haviam se instalado na sua barriga. Com 1,83m e 111kg e há vários anos sem praticar seu esporte favorito, o futebol, decidiu cuidar da forma física. Contratou um personal trainer e começou a atacar o problema da gordura.

Passaram-se seis meses e nada mudou. "Não creio que o personal trainer tenha criado um programa específico para mim", conta. "Acho que ele usava um plano geral para todo mundo. Não havia pressão."

Foi então que tomou conhecimento da Dieta do Abdômen e resolveu experimentá-la. Dez dias depois de ele começar, as pessoas na academia lhe perguntavam o que estava fazendo de diferente. Austin perdeu 7kg em apenas duas semanas e atribuiu esse fato à mudança na alimentação.

"Não sou de comer muito, mas estava consumindo os alimentos errados. Nas outras vezes em que tentei emagrecer, sempre me mantive atento às calorias. Com a Dieta do Abdômen, posso fazer várias refeições, porém me concentrando nos alimentos certos."

Assim, em vez de comer bolos, tortas e doces entre as refeições, Austin tomava "vitaminas", comia ovos e carnes magras. "As amêndoas tornaram-se minhas melhores amigas. Confortavam-me quando sentia fome nesses períodos."

Ele também continuou a praticar exercícios físicos: treinava com pesos três dias por semana e fazia uma atividade aeróbica em outros três dias.

Embora se sinta melhor do que em muitos anos, Austin informa que tem mais um objetivo. Ele e a esposa sempre passam as férias na praia com outros casais. "Adoro o mar, mas há anos não tiro a camisa na praia. É o meu objetivo agora. Assim que chegarmos lá, tirarei a camisa."

Se você fizer seis refeições equilibradas, seu corpo regulará as porções por meio de recursos como fibras, proteínas e simplesmente o volume das "vitaminas". Com isso em mente, é sempre sensato – ainda mais no início do programa, quando o organismo está mais vulnerável e se ajustando a um novo tipo de nutrição – focalizar o controle da porção pela limitação das quantidades de alguns alimentos, em particular os que têm gordura (como manteiga de amendoim) e carboidratos (como arroz e pão). Uma boa regra: atenha-se a uma ou duas porções por grupo alimentar e restrinja o conteúdo total da refeição à dimensão do seu prato.

Norma 5: saiba o que beber e o que não beber

EU TOMO CERVEJA. E TOMO VINHO. Gosto dessas duas bebidas, assim como de gim tônica em um dia quente de verão e de várias outras coisas. Um ou dois drinques diários proporcionam benefícios à saúde, mas o álcool também pode causar problemas. Ainda mais importante: essa bebida, assim como os refrigerantes, acrescenta calorias de que você não precisa neste momento. São calorias vazias, pois não ajudam a lhe dar a sensação de saciedade nem a comer menos. Na verdade, o fazem comer mais e estimulam o corpo a queimar menos gordura. Quando pesquisadores suíços deram a oito homens saudáveis álcool suficiente para ultrapassar as necessidades diárias de calorias em 25% (cinco cervejas para alguém que come 3.000 calorias por dia), verificaram que essa substância diminuía a capacidade de queimar gordura em até 36%. O álcool também provoca o acúmulo de gordura. O corpo o considera um veneno e tenta eliminá-lo. O fígado pára de processar todas as outras calorias enquanto se ocupa dessa bebida. Qualquer alimento ingerido junto com álcool provavelmente se transformará em gordura. De forma indireta, ele pode inibir a produção de testosterona e do hormônio do crescimento humano – dois auxiliares na queima de gordura e no desenvolvimento dos músculos.

Detesto ter que lhe dizer para tomar água, mas beber cerca de oito copos d'água por dia proporciona muitos benefícios. Contribui para mantê-lo satisfeito (muitas vezes o que interpretamos como fome na verdade é sede). A água leva embora os refugos que o corpo produz quando decompõe a gordura para extrair energia e quando processa proteína. Ela transporta nutrientes para os músculos, favorece a digestão e mantém o metabolismo no ponto certo.

Se você está mesmo decidido a se livrar da flacidez na barriga, recomendo que se abstenha de álcool pelas seis semanas de duração do programa. No máximo, limite-se a dois ou três drinques por semana. As melhores coisas para beber nesse período são leite desnatado ou semidesnatado, água e chá verde (ou, se não houver outro jeito, dois copos de refrigerante diet por dia).

Norma 6: em uma refeição por semana, esqueça as outras cinco normas

EU NUNCA CONCORDARIA COM O FATO de você enganar seu marido ou sua mulher, seu empregador ou o fisco. Mas desejo que trapaceie nesta dieta. Quero que faça uma refeição por semana em que esquecerá tudo sobre carboidratos bons e gorduras boas. Coma a metade de uma pizza, costela de boi ou qualquer outro alimento de que sinta mais falta enquanto segue este programa. Deguste, saboreie, e depois volte à dieta. Eu o estimulo a trapacear por dois motivos. Primeiro, quero que tenha o controle quando isso acontecer. Planeje a refeição da gula durante uma semana. Ela pode ser feita em uma saída no sábado à noite, enquanto você assiste a um filme na televisão ou em qualquer outra ocasião. Mas, uma vez que a tenha planejado, mantenha-se firme. A maneira de controlar seus anseios é satisfazê-los de vez em quando. Se você é capaz de agüentar por seis dias e dá a si mesmo uma recompensa no fim desse período, saberá que seis dias de boa alimentação é um esquema que conseguirá cumprir a longo prazo.

Há outro motivo importante para que trapaceie: isso o ajudará a mudar seu corpo. Um plano de dieta bem-sucedido é aquele que trata do modo como você come durante a maior parte do tempo, e não durante todo o tempo. Na verdade, um dia com um alto consumo de calorias pode acelerar o metabolismo. Pesquisadores do Instituto Nacional de Saúde constataram que homens que ingeriam duas vezes mais calorias do que o normal em um dia aumentaram o metabolismo em 9% nas 24 horas subseqüentes. Porém, é nesse ponto que você precisa mostrar controle. Creio que esta dieta lhe permite comer muitos alimentos que não apenas são bons como são bons para você, contudo também sei que vai desejar outros itens que não se enquadram nas normas do programa. Pense nessa trapaça como a cenoura oferecida no fim de uma semana de alimentação adequada. Trate de desfrutá-la ao máximo – e, por favor, não deixe que a cenoura seja literalmente uma cenoura.

O plano de refeições de sete dias da Dieta do Abdômen

Ao contrário da maioria das dietas, cheias de normas complexas e difíceis de seguir, com vários alimentos proibidos que você adora, mas aos quais deve renunciar, a Dieta do Abdômen lhe permite comer o que aprecia, mantém seus anseios à distância e o ajuda a controlar o estresse – tudo ao mesmo tempo. Aqui está um exemplo de como estruturar uma semana de alimentação. Claro que não é uma recomendação rígida. Misture as refeições. Faça substituições sempre que quiser. Também não me importo se você optar pelas mesmas coisas todos os dias durante uma semana. O objetivo desta tabela é apenas mostrar como seguir os princípios da Dieta do Abdômen. Divirta-se!

SEGUNDA-FEIRA

Café da manhã: Um copo alto (220 a 340g) de "Vitamina" Suprema da Dieta do Abdômen (ver página 113). Faça o dobro da receita para tomar mais tarde.
Lanche 1: 2 colheres de chá de manteiga de amendoim, legumes crus à vontade.
Almoço: Sanduíche de peru ou rosbife no pão de cereal integral, 1 xícara de leite desnatado ou semidesnatado, 1 maçã.
Lanche 2: 28g de amêndoas, 1 1/2 xícara de morangos ou frutas similares.
Jantar: Almôndegas da Força (ver página 123).
Lanche 3: 220g a 340g de "Vitamina" Suprema da Dieta do Abdômen.

TERÇA-FEIRA

Café da manhã: Sanduíche Estimulante de Ovos (ver página 116).
Lanche 1: 2 colheres de chá de manteiga de amendoim, 1 tigela de mingau de aveia ou de outro cereal rico em fibras.
Almoço: Salada de Quem Não Quer Salada (ver página 118).
Lanche 2: 3 fatias de peru, 1 laranja grande.
Jantar: Frango Atrevido à Brasileira (ver página 124).
Lanche 3: 28g de amêndoas, 110g de melão-cantalupo.

QUARTA-FEIRA

Café da manhã: Um copo alto (220 a 340g) de "Vitamina" General Morango (ver página 113). Faça o dobro da receita para tomar mais tarde.
Lanche 1: 28g de amêndoas, 28g de passas.
Almoço: Guacamole no Pão Integral (ver página 120).
Lanche 2: 1 pedaço de queijo, legumes crus à vontade.
Jantar: Contrafilé Apimentado (ver página 124).
Lanche 3: 220g a 340g de "Vitamina" General Morango.

QUINTA-FEIRA

Café da manhã: 1 fatia de pão de cereal integral com 1 colher de chá de manteiga de amendoim, 1 laranja média, 1 xícara de cereal All-Bran com 1 xícara de leite desnatado, 1 xícara de amoras ou frutas similares.
Lanche 1: 220g de iogurte light, 1 lata de suco V8 ou um copo de suco de tomate.
Almoço: Enrolado de Peru (ver página 119).
Lanche 2: 3 fatias de rosbife, 1 laranja grande.
Jantar: Sanduíche da Fartura (ver página 125).
Lanche 3: 2 colheres de chá de manteiga de amendoim, 1 xícara de sorvete light.

SEXTA-FEIRA

Café da manhã: Um copo alto (220g a 340g) de "Vitamina" de Banana Split (ver página 114). Faça o dobro da receita para tomar mais tarde.
Lanche 1: 28g de amêndoas, 110g de melão-cantalupo.
Almoço: Atum Esperto (ver página 121).
Lanche 2: 3 fatias de rosbife, 1 laranja grande.
Jantar: Peru à Mexicana (ver página 125).
Lanche 3: 220g a 340g de "Vitamina" de Banana Split.

SÁBADO

Café da manhã: Um copo alto (220g a 340 g) de "Vitamina" Delícia Mista (ver página 114). Faça o dobro da receita para tomar mais tarde.
Lanche 1: 1 tigela de cereal rico em fibras, 1 xícara de iogurte light.
Almoço: Sobra de Peru à Mexicana.
Lanche 2: 2 colheres de chá de manteiga de amendoim, 1 ou 2 fatias de pão de cereal integral.
Jantar: *A refeição da trapaça!* Coma aquilo por que ansiou durante a semana: petiscos, cerveja, lingüiça, pizza – qualquer coisa com que esteja sonhando.
Lanche 3: 220g a 340g de "Vitamina" Delícia Mista.

DOMINGO

Café da manhã: Sanduíche de Quem Ainda Não Tomou o Café (ver página 117).
Lanche 1: 2 colheres de chá de manteiga de amendoim, 1 lata de suco V8 ou um copo de suco de tomate.
Almoço leve (relaxe... é domingo): 2 ovos mexidos, 2 fatias de torrada de cereal integral, 1 banana, 1 xícara de leite desnatado.
Lanche 2: 3 fatias de rosbife, 1 fatia de queijo sem gordura.
Jantar: Lingüiça de Peru Tentação (ver página 127).
Lanche 3: 28g de amêndoas, 1 xícara de sorvete light.

| CAPÍTULO 7 |

Os 11 Alimentos Poderosos da Dieta do Abdômen

OS SUPER-HERÓIS QUE VÃO FAZER SUA BARRIGA ENCOLHER E MANTÊ-LO SAUDÁVEL PELO RESTO DA VIDA

NO CAPÍTULO ANTERIOR, APRESENTEI as seis normas para seguir este programa. Também me referi de passagem aos 11 Alimentos Poderosos da Dieta do Abdômen. Agora quero que você conheça melhor esses super-heróis. Eles vão compor uma parte considerável da sua alimentação.

Quanto mais você comer desses alimentos, mais capacidade seu corpo terá de desenvolver massa muscular magra e evitar o acúmulo de gordura. Embora você possa basear lanches e refeições completas nesses alimentos, isso não é necessário. Mesmo assim, siga estas normas:

- Incorpore dois ou três deles a cada uma das três refeições principais e pelo menos um deles a cada um dos três lanches.
- Diversifique os alimentos em todas as refeições, a fim de obter uma combinação de proteína, carboidratos e gordura.
- Não deixe de acrescentar um pouco de proteína a cada lanche.

COMO LER O ÍCONE: Para um reconhecimento à primeira vista, incluí ícones abaixo das descrições de todos os Alimentos Poderosos da Dieta do Abdômen. Eles indicam os papéis importantes que cada um deles desempenha na manutenção da saúde.

DESENVOLVE O MÚSCULO: Os alimentos ricos em proteínas vegetais e animais, que desenvolvem os músculos, qualificam-se para esse selo de aprovação. É o que acontece com determinados minerais ligados à manutenção apropriada dos músculos, como o magnésio.

AJUDA A PROMOVER A PERDA DE PESO: Os alimentos ricos em cálcio e fibras (que protegem contra a obesidade), assim como aqueles que favorecem o desenvolvimento do tecido muscular eliminando a gordura, merecem esse emblema de respeito.

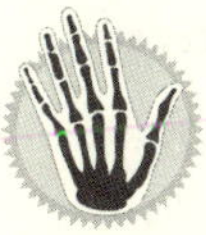

FORTALECE OS OSSOS: Cálcio e vitamina D são os construtores de ossos mais importantes. Protegem contra a osteoporose. Mas tome cuidado com um fato: altos níveis de sal podem remover o cálcio do tecido ósseo. Felizmente, todos os Alimentos Poderosos são naturalmente baixos em cloreto de sódio.

BAIXA A PRESSÃO: Qualquer alimento que não tenha grande concentração de sal pode contribuir para baixar a pressão – e merecer essa classificação –, caso apresente quantidades adequadas de potássio, magnésio e cálcio.

COMBATE O CÂNCER: Estudos demonstram que há um risco menor de alguns tipos de câncer entre pessoas que mantêm dietas com pouca gordura e muitas fibras. Alimentos ricos em cálcio, betacaroteno e vitamina C também ajudam a prevenir essa doença. Recebem ainda esse selo todos os vegetais crucíferos (como o repolho) e aliáceos (como a cebola) porque, segundo pesquisas, são eficazes na prevenção de certos tipos de câncer.

MELHORA A FUNÇÃO IMUNOLÓGICA: As vitaminas A, E, B_6 e C, o ácido fólico e o mineral zinco contribuem para aumentar a imunidade a determinados tipos de doença. O ícone indica um Alimento Poderoso com níveis elevados de um ou mais desses nutrientes.

COMBATE AS DOENÇAS CARDÍACAS: Se você comer alimentos em que predominam gorduras saturadas e trans, poderá ter problemas com o colesterol, que obstrui as artérias. Por outro lado, ingredientes ricos em gorduras monoinsaturadas ou poliinsaturadas o ajudarão a proteger seu coração, mantendo os níveis de colesterol sob controle.

1: Amêndoas e outras nozes

Superpoderes: desenvolvem os músculos e combatem desejos alimentares.

Armas secretas: proteína, gordura monoinsaturada, vitamina E, fibras, magnésio, ácido fólico (amendoim) e fósforo.

Combatem: obesidade, doenças cardíacas, perda de massa muscular, rugas, câncer e pressão alta.

Associados: sementes de abóbora, sementes de girassol e abacate.

Impostores: nozes salgadas.

Hoje em dia ouvimos falar em gorduras boas e gorduras más da mesma forma que ouvimos falar em bons e maus policiais. As primeiras estão do seu lado, enquanto as outras estão ansiosas para deixá-lo na pior. Os biscoitos Oreo enquadram-se na segunda categoria, porém as nozes estão obviamente empenhadas em ajudá-lo. Contêm gorduras monoinsaturadas, as que desobstruem as artérias e lhe dão mais sensação de saciedade.

Todas as nozes são ricas em proteínas e gordura monoinsaturada. Mas as amêndoas são as rainhas das nozes. Uma porção desse alimento supre a metade da necessidade diária de vitamina E e 8% da de cálcio. Também provê 19% da necessidade diária de magnésio, um componente fundamental para o desenvolvimento muscular. Em um estudo realizado pela Universidade do Estado de Washington, as pessoas que estavam tomando magnésio extra eram capazes de levantar 20% mais peso e desenvolver mais massa muscular do que os participantes que não estavam ingerindo esse suplemento. Pesquisadores da Universidade de Toronto verificaram que os homens podem comer duas porções de amêndoas todos os dias sem ganhar nenhum peso extra. Segundo uma pesquisa feita pela Universidade Purdue, as pessoas que consumiam nozes ricas em gordura monoinsaturada sentiam-se satisfeitas por uma hora e meia a mais do que aquelas que ingeriam alimentos sem gordura (no caso, bolo de arroz). Se você comer 60g de amêndoas (cerca de 24), será o suficiente para saciar o apetite – ainda mais se acompanhá-las de 220ml de água. O líquido ajuda a expandir as fibras das amêndoas, proporcionando a sensação de saciedade. Procure manter a pele dessas nozes, pois ela é rica em nutrientes.

Aqui estão algumas maneiras hábeis de introduzir amêndoas e outras nozes na dieta:

- Acrescente à manteiga de amendoim simples.
- Espalhe uma porção sobre cereais, iogurte ou sorvete.
- Adicione pedaços à omelete.
- Para uma alternativa rápida, como se fosse pipoca: coloque uma porção de amêndoas sobre uma assadeira untada com óleo de canola e asse por 5 a 10 minutos. Retire do forno e salpique com uma mistura de açúcar mascavo e canela ou de pimenta-de-caiena e tomilho.

Um lembrete antes que você se entusiasme demais com esse alimento: as nozes salgadas não entram nesta categoria por causa do alto conteúdo de sal, que pode causar pressão alta.

2: Aveia instantânea (sem adoçante, sem sabor artificial)

Superpoderes: estimula a energia e o impulso sexual, reduz o colesterol e mantém os níveis de açúcar no sangue.

Armas secretas: fibras e carboidratos complexos.

Combate: doenças cardíacas, obesidade, diabetes e câncer do cólon.

Associados: cereais ricos em fibras, como All Bran.

Impostores: cereais com açúcar adicional e glicose de milho com alto teor de frutose.

A aveia é a grande estrela da sua despensa. A nota 10, perfeita! Você pode comer esse cereal depois de se levantar da cama, para animar suas manhãs de lerdeza; duas horas antes de um exercício, para se sentir plenamente energizado quando começar a fazer força; ou à noite, para evitar uma farra alimentar de madrugada. Recomendo a aveia instantânea por sua conveniência. Mas quero que compre a variedade sem adoçante e com sabor natural. Use outros Alimentos Poderosos, como leite e frutas, para dar gosto. A aveia com sabor artificial contém muitas calorias de açúcar.

Esse cereal possui fibras solúveis, e isso quer dizer que ele atrai fluidos e permanece no estômago por mais tempo do que as fibras não-solúveis (como a dos legumes). A fibra solúvel reduz o colesterol do sangue unindo-se a ácidos digestivos feitos de colesterol e eliminando-os do corpo. Quando isso acontece, o fígado tem que retirar colesterol do sangue para produzir mais ácidos digestivos, o que acarreta a queda do nível de colesterol.

Confie em mim: você precisa de mais fibras, tanto solúveis quanto não-solúveis. Os médicos recomendam a ingestão diária de 25 a 35g de fibras, mas a maioria das pessoas consome apenas metade disso. A fibra age como o segurança de boate do corpo: expulsa os indesejáveis que criam problemas. Protege contra doenças cardíacas e o câncer do cólon ao remover rapidamente os carcinógenos dos intestinos.

Um estudo realizado pela Universidade Estadual da Pensilvânia também mostrou que a aveia mantém os níveis de açúcar no sangue por mais tempo do que muitos outros alimentos, faz com que os níveis de insulina permaneçam estáveis e garante a ausência de fome por algumas horas. Isso é bom porque os piques na produção de insulina retardam o metabolismo e enviam um sinal para o corpo de que é tempo de começar a acumular gordura. Como a aveia se dissolve lentamente no estômago, causa menos piques nos níveis desse hormônio. Você deve incluí-la em uma "vitamina" ou como cereal no café da manhã. (Um estudo da Marinha dos Estados Unidos mostrou que basta comer aveia no café da manhã para aumentar o metabolismo em 10%.)

Outro fato incrível sobre a aveia: estudos preliminares indicam que ela aumenta os níveis de testosterona livre no corpo, o que melhora a capacidade de desenvolver músculos e queimar gordura, além de estimular o impulso sexual.

3: Azeite extravirgem de oliva

Superpoderes: reduz o colesterol e fortalece o sistema imunológico.

Armas secretas: gordura monoinsaturada e vitamina.

Combate: obesidade, câncer, doenças cardíacas e pressão alta.

Associados: óleo de canola, óleo de amendoim e óleo de gergelim.

Impostores: óleos vegetais e óleos vegetais hidrogenados, ácidos graxos trans e margarina.

Você leu importantes informações sobre o valor das gorduras de alta qualidade, como o azeite extravirgem de oliva, no capítulo 3. Mas vale reiterar: o azeite e seus associados o ajudarão a comer menos controlando seus desejos alimentares. Também contribuirão para que queime gordura e mantenha o colesterol sob controle. Você precisa de mais motivos para pedir o vidro de azeite?

4: Espinafre e outras verduras

Superpoderes: neutralizam os radicais livres, que são as moléculas que aceleram o processo de envelhecimento.

Armas secretas: vitaminas (incluindo A, C, e K), ácido fólico, minerais (entre os quais cálcio e magnésio), fibras e betacaroteno.

Combatem: câncer, doenças cardíacas, derrame, obesidade e osteoporose.

Associados: vegetais crucíferos, como brócolis e couve-de-bruxelas; vegetais verdes, amarelos, vermelhos e laranja, como aspargos e pimentões.

Impostores: nenhum, desde que não sejam fritos nem cobertos com um queijo gorduroso.

Você sabe que os vegetais estão repletos de nutrientes importantes, e eles constituem uma parte fundamental da dieta para a mudança da forma do seu corpo. Gosto especialmente do espinafre porque uma porção dele proporciona toda a vitamina A de que precisamos em um dia e a metade da vitamina C. Também está impregnado de ácido fólico, que protege contra doenças cardíacas, derrame e câncer do cólon. Use-o fresco em um sanduíche no lugar da alface ou refogue-o rapidamente com azeite extravirgem de oliva e alho.

O brócolis é outro vegetal poderoso. Rico em fibras, tem uma grande concentração de vitaminas e minerais, maior do que a de quase todos os outros alimentos. Por exemplo, contém 90% da vitamina C que há no suco de laranja fresco e quase a metade do cálcio presente no leite. Também é um poderoso defensor contra doenças como o câncer porque aumenta as enzimas que ajudam a desintoxicar o corpo dos carcinógenos. Dica: ignore os caules do brócolis – os botões florais possuem três vezes mais betacaroteno e são uma grande fonte de outros antioxidantes.

As máquinas verdes do emagrecimento

Essencialmente, a alface-americana é o equivalente nutricional de uma planta de escritório de plástico: acrescenta um pouco de cor, mas de um modo geral apenas ocupa espaço. Embora essa variedade de alface seja barata e abundante, quase não contém fibras, vitaminas nem minerais. Se você pretende saborear uma salada, é melhor que ela tenha personalidade. Dê uma olhada nesta seleção campeã dos verdes.

A aniquiladora do câncer: alface-romana. É uma das melhores fontes de betacaroteno: 712mcg por xícara. Um estudo realizado pela Universidade de Illinois demonstrou que níveis elevados de betacaroteno inibem o crescimento das células de câncer na próstata em 50%.

A construtora de ossos: rúcula. Em uma xícara das folhas dessa planta há 10% do mineral que desenvolve os ossos encontrado em um copo de leite integral e 100% menos de gordura saturada. A rúcula possui também um pouco de magnésio, o que proporciona uma proteção adicional contra a osteoporose.

O protetor das tubulações: agrião. Funciona como um filtro para o corpo. Seus fitoquímicos podem evitar que a fumaça do cigarro e outros poluentes no ar causem câncer de pulmão.

A protetora do coração: endívia. É um pouco amarga e um pouco crocante. Oferece duas vezes mais fibras do que a alface-americana. Uma xícara de endívia proporciona quase 20% da necessidade diária de ácido fólico. Pessoas que não ingerem o suficiente dessa vitamina B essencial podem ter um risco 50% maior de desenvolver doenças cardíacas.

A estimuladora do cérebro: mostarda. Esse condimento picante contém o aminoácido tirosina. Em um estudo militar nos Estados Unidos, os pesquisadores verificaram que comer uma refeição rica em tirosina uma hora antes de fazer um teste ajudava os soldados a melhorar consideravelmente a memória e a concentração.

O aguçador da visão: espinafre. O espinafre é uma grande fonte de luteína e zeaxantina, dois poderosos antioxidantes que protegem a vista do desgaste causado pela velhice. Um estudo realizado pela Universidade Tufts mostrou que as pessoas que comem espinafre regularmente correm um risco 43% menor de apresentar degeneração da mácula lútea relacionada com a idade.

O carrasco da pressão: rábano. Seu sabor parece uma mistura de repolho e nabo. Cada porção dessa raiz supre quase 25% da necessidade diária de potássio (que ajuda a manter a pressão sob controle), além de conter glicosinolato, um fitoquímico que previne alguns tipos de câncer.

Se você detesta vegetais, pode aprender a camuflá-los na comida, mas ainda assim colher os benefícios que eles proporcionam. Experimente prepará-los como purê ou acompanhá-los com molhos escabeche ou chili. Quanto mais picados e amassados (na forma de purê), mais invisíveis se tornam e mais facilidade o corpo tem de absorvê-los. No caso do brócolis, refogue-o rapidamente com azeite extravirgem de oliva e alho e acrescente o molho.

5: Frutas vermelhas

Superpoderes: protegem o coração; aguçam a vista; melhoram o equilíbrio, a coordenação e a memória recente; evitam os desejos alimentares.

Armas secretas: antioxidantes, fibras, vitamina C, tanino.

Combatem: doenças cardíacas, câncer e obesidade.

Associados: a maioria das frutas, especialmente a maçã e o grapefruit.

Impostores: geléias, a maioria das quais é elaborada com a eliminação das fibras e adição de açúcar.

Qualquer fruta vermelha serve, assim escolha as de sua preferência. Gosto de framboesa, tanto por seu poder quanto pelo sabor. Ela possui níveis extraordinários de antioxidantes, que auxiliam o organismo a combater as doenças cardíacas e o câncer. Seus flavonóides também são benéficos para a visão, o equilíbrio, a coordenação e a memória recente. Uma xícara de framboesas contém 6g de fibras e supre mais da metade da necessidade diária de vitamina C.

O morango possui uma valiosa forma de fibra chamada pectina (assim como o grapefruit, o pêssego, a maçã e a laranja). O *Journal of the American College of Nutrition* publicou um estudo em que um grupo de pessoas tomou suco de laranja simples e outro grupo ingeriu o suco com acréscimo de pectina. Os integrantes do segundo grupo sentiram-se mais satisfeitos depois de beber o suco do que os demais participantes. A diferença se manteve pelo significativo prazo de quatro horas.

O *blueberry* (mirtilo), assim como a aveia, possui muita fibra solúvel, que garante a sensação de saciedade por mais tempo. Supera 39 outras frutas e legumes nas classificações de poder antioxidante.

#6: Feijões e leguminosas

Superpoderes: desenvolvem músculos, ajudam a queimar gordura e regulam a digestão.

Armas secretas: fibras, proteína, ferro e ácido fólico.

Combatem: obesidade, câncer do cólon, doenças cardíacas e pressão alta.

Associados: lentilhas, ervilhas e grão-de-bico.

Impostores: feijoada, que contêm alto teor de gorduras saturadas, e assados, pois apresentam grande concentração de açúcar.

A canção acerta na mosca ao chamá-lo de "o preto que satisfaz": quanto mais você come feijão, mais consegue controlar a fome. Preto, branco, mulatinho... escolha o feijão ou a leguminosa entre as muitas variedades. Mas nada de feijoada impregnada de gordura. Esse é um alimento de baixa caloria pleno de proteína, fibras e ferro, ingredientes fundamentais para o desenvolvimento dos músculos e a perda de peso.

É um dos elementos-chave da Dieta do Abdômen por todo o seu poder nutricional. Substitua um prato à base de carne por um prato à base de feijão

---

Como escolher os produtos

Frutas e legumes frescos podem ser deliciosos, desde que você saiba escolhê-los e prepará-los. Veja algumas dicas a seguir.

Frutas vermelhas. Antes de comprar morangos ou framboesas, vire a caixa ao contrário. É como verificar a data de validade indicada pela natureza: manchas causadas pelo sumo. Compre as frutas que você possa pegar com as pontas dos dedos sem dar impressão de ter acabado de tirar as impressões digitais.

Milho no sabugo. As espigas mais doces são um pouco imaturas, com grãos que não vão até o fim do sabugo. Leve para grelhar com palha e tudo em temperatura média. Mantenha por 10 minutos. Em seguida, descasque deixando apenas a última camada de palha. Coloque novamente na grelha por mais cinco minutos para adquirir o gosto de defumado.

duas ou três vezes por semana – estará trocando uma grande quantidade de gordura saturada por generosas porções de fibras. Para acompanhar, experimente o arroz integral.

Os melhores para sua dieta são:

- Feijão de soja
- Feijão-branco grande
- Feijão-branco pequeno
- Feijão-carioquinha
- Feijão-de-lima
- Feijão-mulatinho
- Feijão-preto
- Grão-de-bico

7: Laticínios – leite semidesnatado ou desnatado, iogurte e queijo com pouca gordura (cottage)

Superpoderes: desenvolvem ossos fortes e aceleram a perda de peso.

Armas secretas: cálcio, vitaminas A e B_{12}, riboflavina, fósforo e potássio.

Melancia. Esqueça a cor, o formato e o tamanho. Essa fruta deve ser avaliada pelo peso. Quanto mais pesada, mais água contém, e é a água que lhe dá sabor.

Melão-cantalupo. Não bata com os nós dos dedos em um melão para verificar se ele está maduro; em vez disso, dê-lhe um tapa. Se escutar um som oco, e não um baque seco ou um grito de outro mundo, é porque está bom.

Pêssego. Prefira os que estejam com a cor uniforme, sem manchas verdes. A polpa deve ceder um pouco quando apertada de leve. O aroma tem que ser suave e agradável.

Tomate. Procure tomates que sejam firmes e pesados para seu tamanho. E de aroma adocicado.

Combatem: osteoporose, obesidade, pressão alta e câncer.

Associados: nenhum.

Impostor: leite integral.

Os laticínios são uma versão nutricional daquele tipo de ator que é escolhido para fazer sempre o mesmo papel. Recebe tanta atenção por uma atividade em que se sai bem – fortalecer os ossos – que quase ninguém se lembra das suas outras qualidades. Já está na hora de os laticínios serem reconhecidos por seu papel fundamental como um veículo na perda de peso. As evidências sobre isso estão se acumulando. Um estudo realizado pela Universidade do Tennessee revelou que as pessoas em dieta que consumiam entre 1.200 e 1.300mg de cálcio por dia emagreciam quase duas vezes mais do que os participantes que ingeriam menos cálcio. Segundo os pesquisadores, esse mineral provavelmente previne o ganho de peso, porque faz com que o organismo decomponha mais gordura corporal, além de dificultar sua formação. Iogurte, queijos e outros laticínios com pouca gordura podem desempenhar um papel importante na dieta. No entanto, como principal fonte de cálcio, recomendo o leite por uma razão básica: o volume. Os líquidos ocupam um espaço valioso no estômago e enviam para o cérebro o sinal de saciedade. Polvilhar o leite com chocolate em pó diet também é bom, pois ajuda a superar o desejo por doce ao mesmo tempo que proporciona uma grande força nutricional.

8: Ovos

Superpoderes: desenvolvem músculos e queimam gordura.

Armas secretas: proteína, vitamina B_{12} e vitamina A.

Combatem: obesidade.

Associados: nenhum.

Impostores: nenhum.

Durante muito tempo, os ovos foram considerados a própria encarnação do mal. Era mais provável que os médicos recomendassem que eles fossem jogados em carros em movimento do que em uma frigideira para fazer uma omelete. Isso acontecia porque apenas dois ovos contêm mais colesterol do que a quantidade diária recomendada. É verdade que é possível cortar um pouco do colesterol removendo parte da gema e usando as claras. No entanto, um número cada vez maior de pesquisas tem demonstrado que comer um ou dois ovos por dia não eleva os níveis de colesterol como se acreditava antes. Estudos revelaram que a maior parte do colesterol no sangue é produzida pelo corpo a partir da gordura presente na dieta, e não do colesterol contido nos alimentos. É por isso que você deve aproveitar os ovos e sua poderosa carga de proteína.

A proteína encontrada nos ovos possui o mais alto "valor biológico" – uma medida do quanto atende a necessidade de proteína do corpo – entre todos os alimentos. Ou seja, ela é mais eficaz no desenvolvimento dos músculos do que a proteína de outras fontes, até mesmo do leite e da carne bovina. Nos ovos também há vitamina B_{12}, que é necessária para dissolver a gordura.

9: Pães e cereais integrais

Superpoderes: impedem o corpo de acumular gordura.

Armas secretas: fibras, proteína, tiamina, riboflavina, niacina, piridoxina, vitamina E, magnésio, zinco, potássio, ferro e cálcio.

Combatem: obesidade, câncer, pressão alta e doenças cardíacas.

Associados: arroz integral e massas de trigo integral.

Impostores: produtos de padaria processados, como pão branco e rosquinhas e pães com a indicação "trigo" em vez de "trigo integral".

Uma pessoa só consegue seguir uma dieta apenas de proteína, apenas de salada ou apenas de qualquer outra coisa por determinado período. Logo ela estará ansiando por carboidratos, pois o corpo precisa deles. O importante é comer os que foram menos processados, ou seja, os que ainda mantêm intactas as fibras, que são benéficas para o coração e inimigas da barriga.

Cereais como trigo, milho, aveia, cevada e centeio são sementes originárias de gramíneas e dividem-se em três partes: germe, farelo e endosperma. Pense em uma semente de milho. A parte maior do grão – a que estoura quando vira pipoca – é o endosperma. Em termos nutritivos, é inútil. Contém amido, um pouco de proteína e algumas vitaminas B. O germe é a menor parte do grão –

no de milho, é aquele pedacinho branco, parecido com uma semente. Embora pequeno, possui o máximo de valor nutritivo, pois tem proteína, óleos e vitaminas B (tiamina, riboflavina, niacina e piridoxina), além de vitamina E e os minerais magnésio, zinco, potássio e ferro. O farelo é a terceira parte do grão, em que se acumula toda a fibra. É um revestimento em torno do endosperma que apresenta vitaminas B, zinco, cálcio, potássio, magnésio e outros minerais.

Mas qual é o objetivo dessa pequena aula de biologia? Saiba de uma coisa: quando os fabricantes de alimentos processam e refinam os grãos, adivinhe quais são as duas partes descartadas? Isso mesmo, o farelo, que contém as fibras e os minerais, e o germe, fonte de todas as vitaminas e da proteína. E o que eles conservam? O endosperma (isto é, amido), inútil em termos nutricionais. Ele é convertido em massas, pão branco, arroz branco e em quase todos os outros produtos de trigo e demais cereais disponíveis no mercado. Uma loucura, não é mesmo? No entanto, se você comer produtos feitos com todas as partes do grão, receberá todos os nutrientes de que os fabricantes de alimentos estão tentando privá-lo.

Os carboidratos de grãos integrais desempenham um importante papel em um estilo de vida saudável. Em um estudo de 11 anos com 16 mil participantes de meia-idade, pesquisadores da Universidade de Minnesota descobriram que consumir três porções diárias de cereais integrais pode reduzir em 23% o risco de mortalidade ao longo de uma década. O pão de cereal integral mantém baixos os níveis de insulina ao mesmo tempo que impede o acúmulo de gordura. Na Dieta do Abdômen, ele é um componente bastante versátil, porque suplementa qualquer tipo de refeição e exige pouco tempo de preparo – torradas no café da manhã, sanduíches no almoço e fatias com manteiga de amendoim no lanche. Não acredite nas pessoas que exageram. Os carboidratos do tipo certo são bons para você.

Atenção: os fabricantes de alimentos são traiçoeiros. Às vezes, depois de retirarem todas as vitaminas, fibras e minerais do trigo, eles acrescentam melaço para deixá-lo escuro. E o enviam para as prateleiras dos supermercados com uma etiqueta que diz “pão de trigo”. É um truque! Os pães e outros produtos realmente nutritivos têm a identificação “trigo integral” ou “grão integral”. Não se deixe enganar.

10: Peru e outras carnes magras (bife magro, frango e peixe)

Superpoderes: desenvolvem os músculos e fortalecem o sistema imunológico.

Armas secretas: proteína, ferro, zinco, creatina (carne bovina), ácidos graxos ômega-3 (peixe), vitaminas B_6 (frango e peixe) e B_{12}, fósforo e potássio.

Combatem: obesidade e várias doenças.

Associados: moluscos e lombinho canadense.

Impostores: lingüiça, bacon, carnes defumadas, presunto e cortes gordurosos de carne bovina, como costela.

Um nutriente clássico no desenvolvimento dos músculos, a proteína é a base de todo programa de dieta mais sólido. Você já sabe que o organismo precisa de mais energia para digerir a proteína da carne do que para digerir carboidratos e gordura. Portanto, quanto mais proteína ingerida, maior a quantidade de calorias queimadas. Muitos estudos confirmam o conceito de que dietas ricas nesse nutriente promovem a perda de peso. Em um estudo, pesquisadores da Dinamarca observaram que homens que substituíam 20% de carboidratos por proteínas eram capazes de aumentar o metabolismo e elevar a quantidade de calorias queimadas todos os dias em até 5%.

Entre as carnes, o peru é um alimento excepcional. O peito dessa ave é uma das carnes mais magras que podemos encontrar e supre quase 1/3 das necessidades diárias de niacina e vitamina B_6. A carne escura, caso você a prefira, tem muito zinco e ferro. Um aviso: se for assar um peru inteiro para a refeição da família, evite as aves semiprontas, pois em geral elas recebem gordura na preparação.

A carne bovina contém outra proteína importante para o desenvolvimento dos músculos. É a principal fonte alimentar de creatina, a substância que o corpo usa quando a pessoa se exercita com pesos. Mas essa carne tem uma característica negativa: possui gorduras saturadas, alguns cortes mais do que outros. Procure carnes bem magras (filé mignon, alcatra); a parte posterior da alcatra e o lombo são menos gordurosos do que as costelas. Acompanhe a carne com um copo de leite desnatado. As pesquisas revelam que o cálcio (outra vez essa substância mágica!) reduz a quantidade de gordura saturada que o corpo absorve. Escolha os cortes no lado esquerdo da tabela a seguir, pois apresentam menos gordura e oferecem concentrações maiores de proteína.

CARNE BOVINA MAGRA (55 CALORIAS E 2-3G DE GORDURA EM UMA PORÇÃO DE 28G)	CARNE BOVINA COM QUANTIDADE MÉDIA DE GORDURA (75 CALORIAS E 5G DE GORDURA EM UMA PORÇÃO DE 28G)
Alcatra	Carne moída (sem a indicação de magra ou extramagra)
Carne moída (com a indicação de magra ou extramagra)	Contrafilé
Filé mignon	Costela de primeira
Rosbife	Picanha

Conteúdo de gordura da carne

(112g, crua, sem pele nem osso)

	TOTAL (G)	SATURADA (G)
Peito de frango sem pele	1,41	0,37
Bife de vitela	2,45	0,74
Carne moída magra	4,00	1,50
Presunto defumado	4,68	1,56
Coxa de frango assada	5,05	1,34
Contrafilé	5,15	2,00
Coxa de peru	7,62	2,34
Peito de peru	7,96	2,17
Filé mignon	8,02	3,00
Costeleta de porco magra	8,19	2,85
Alcatra	8,58	3,00
Carne magra de peru, moída	9,37	2,55
Peito de vitela	9,73	3,80
Costela bovina	18,03	7,30
T-bone	19,63	7,69
Presunto	21,40	7,42
Pernil de porco	60,11	21,92
Porco defumado	91,29	33,32

Para reduzir ainda mais as gorduras saturadas, prefira peixes como atum e salmão, pois contêm uma saudável dose de ácidos graxos ômega-3, além de proteína. Esses ácidos baixam os níveis de um hormônio chamado leptina. Vários estudos sugerem que a leptina influencia diretamente o metabolismo: quanto mais altos os níveis dessa substância, mais depressa o corpo acumula calorias como gorduras. Pesquisadores da Clínica Mayo que estudaram as dietas de duas tribos africanas constataram que a tribo que comia peixe com mais freqüência tinha níveis de leptina quase cinco vezes mais baixos do que a tribo que se alimentava basicamente de vegetais. Um benefício extra: pesquisadores em Estocolmo verificaram que os homens que não consumiam peixe corriam um risco três vezes maior de ter câncer na próstata do que aqueles que incluíam esse alimento nas refeições regularmente. O ômega-3 inibe o crescimento do câncer na próstata.

Independentemente de você comer ou não peixe, quero que considere o acréscimo de linhaça moída à sua dieta. Como ressaltei antes, 1 colher de sopa contém apenas 60 calorias, mas possui ômega-3 e quase 4g de fibras. Como a linhaça tem um sabor parecido com o das nozes, você pode salpicá-la por cima de várias receitas, adicioná-la à carne bovina ou ao feijão, passá-la sobre o cereal ou incorporar 1 colher de sopa à "vitamina".

11: *Whey,* proteína em pó do soro do leite

Superpoderes: desenvolve os músculos, queima a gordura.

Armas secretas: proteína, cisteína, glutationa.

Combate: obesidade.

Associado: ricota.

Impostor: proteína da soja.

Proteína em pó? O que é isso? É o único Alimento Poderoso da Dieta do Abdômen que não é vendido nos supermercados. Mas vale a pena passar em uma loja de produtos naturais ou de suplementos vitamínicos para comprá-lo. Estou falando de *whey*, a proteína em pó do soro do leite, um tipo de proteína animal que contém uma substância que atua no desenvolvimento muscular. Ao adicioná-la a uma refeição – uma "vitamina", por exemplo –, você pode muito bem estar criando a mais poderosa refeição contra a queima de gordura. Essa proteína é de alta qualidade – possui aminoácidos essenciais que desenvolvem os músculos e queimam gordura. É bastante eficaz, pois apresenta a maior quantidade de proteína para a menor quantidade de calorias, o que a torna uma criptonita contra a gordura. As "vitaminas" preparadas com ela são mais eficientes quando ingeridas antes dos exercícios físicos. Um estudo de 2001 realizado pela Universidade do Texas revelou que os levantadores de peso que tomavam uma "vitamina" contendo aminoácidos e carboidratos antes do treinamento apresentavam uma síntese de proteína (a capacidade de desenvolver músculos) mais elevada do que os que a ingeriam após o exercício. Como a atividade física aumenta o fluxo de sangue para os tecidos, a teoria é de que a presença da proteína do soro do leite no organismo durante a prática de exercícios pode promover uma absorção mais intensa de aminoácidos – os elementos básicos do desenvolvimento muscular – pelos músculos.

Mas isso não é tudo. Essa proteína também favorece a prevenção do câncer de próstata. O soro do leite é uma fonte de cisteína, aminoácido que o organismo usa para desenvolver um antioxidante chamado glutationa, que combate essa doença. Uma pequena quantidade da proteína do soro do leite pode aumentar os níveis de glutationa em até 60%.

Antes que eu me esqueça: a única fonte dessa proteína encontrada nos supermercados é a ricota. Ao contrário dos outros queijos, que são feitos de leite coalhado, a ricota é produzida com o soro do leite.

RELATÓRIO ESPECIAL

Você não é o culpado pelo seu peso

SAIBA COMO OS FABRICANTES DE ALIMENTOS CONSPIRAM PARA TORNÁ-LO GORDO

AS SEIS NORMAS NUTRICIONAIS DA DIETA do Abdômen e os 11 Alimentos Poderosos vão conduzi-lo pelo caminho da boa alimentação. Siga estes princípios e em breve verá uma mudança extraordinária na sua aparência e na sua saúde. Posso orientá-lo por uma estrada que leva a uma vida de mais músculos e menos gordura, mas seria um péssimo guia se não o alertasse sobre os dois grandes vilões que espreitam logo depois da esquina. Ambos vão se esgueirar para privá-lo de todo o progresso que você alcançou na dieta: o xarope de milho de alta frutose e as gorduras trans. Por sorte, graças ao trabalho de cientistas, temos uma boa noção de como eles operam e de quando nos atacam.

E sua ofensiva é contínua. Essas duas novas bombas calóricas quase não eram consumidas até meados da década de 1970. Agora, no entanto, se escondem em todos os tipos de alimentos.

Cabe um lembrete. Esta dieta não é sobre restrição e privação. Por isso, não vou lhe dizer para virar as costas e sair correndo cada vez que se vir diante do xarope de milho de alta frutose e das gorduras trans. Quero apenas que os conheça. Saiba em que alimentos eles estão presentes e compreenda como podem destruir todas as coisas boas que você fez para mudar seu corpo. Um dos segredos do sucesso da Dieta do Abdômen é o fato de proporcionar meios de lidar com essa dupla terrível. Fazendo seis refeições e lanches balanceados por dia, com ingredientes que aumentam o metabolismo, seu desejo de consumir produtos que contêm as substâncias nocivas diminuirá. E, ao se permitir uma refeição livre por semana, você pode se deliciar com alguns dos seus alimentos prediletos que se enquadrem na categoria criminosa. Em vez de resistir durante todo o tempo, permita que eles lhe façam essa visita. Mas saiba que o melhor para você é não realizar incursões freqüentes por esse lado da cidade.

Xarope de milho de alta frutose

Esse produto é um adoçante artificial mais barato e mais doce do que o açúcar. Os fabricantes de alimentos adoram comercializá-lo porque ele contribui para o aumento dos lucros. Por isso, o adicionam a uma imensa quantidade de alimentos. Cereais. Ketchup. Refrigerantes. Molho de macarrão. Biscoitos. Mesmo algumas barras energéticas, que deveriam ser boas para a saúde, contêm esse ingrediente.

Estou falando sobre um adoçante processado que nem sequer existia na cadeia alimentar até a década de 1970. E ele é muito prejudicial. Está repleto de calorias que o organismo não consegue reconhecer. Na verdade, o xarope de milho de alta frutose desliga os controles naturais do apetite. Assim, faz com que a pessoa coma quantidades incríveis de alimentos, muito além do que o organismo seria capaz de processar normalmente. É provável que você conheça alguém que consegue tomar uma garrafa de 2l de Coca-Cola de uma vez só. Antes desse adoçante ser inventado, isso não ocorria. Os controles naturais do apetite interferiam, detectavam o açúcar consumido e diziam "Basta!". Mas, ao desligar esses dispositivos, esse adoçante está criando populações de gordos.

O problema com esse produto não é o xarope de milho, e sim a frutose, um açúcar natural da fruta e do mel. O xarope de milho é feito basicamente de glicose, que pode ser queimada como uma fonte de energia imediata, armazenada no fígado ou nos músculos para uso posterior ou, então, como último recurso, convertida em gordura. Mas esse xarope não é tão doce quanto outros açúcares, e foi por isso que sua versão rica em frutose se tornou tão popular. É barata e duas vezes mais doce.

Ao contrário do que faz com a glicose, o corpo não usa a frutose como uma fonte imediata de energia – ele a metaboliza em gordura. A pequena quantidade dessa substância que é ingerida com as frutas e o mel não torna ninguém gordo, mas no caso do xarope de milho de alta frutose é como usar um tubo de soro que pinga gordura direto na barriga. Os refrigerantes figuram entres os piores criminosos. Muitos pesquisadores acreditam que há uma ligação direta entre eles e os números crescentes que observamos nas balanças.

Vou voltar a repassar rapidamente algumas explicações que já dei antes para que você possa entender melhor a ação destrutiva desse xarope no organismo. A ingestão de qualquer carboidrato que tenha glicose ou amido faz com que o organismo libere insulina para regular o peso. Primeiro, esse hormônio tenta levar os carboidratos para as células musculares, a fim de que sejam usados como energia. Também facilita seu armazenamento no fígado para utilização posterior. Depois, suprime o apetite, dizendo ao corpo que ele já se alimentou o suficiente. Finalmente, estimula a proteção de outra proteína, a leptina, que é fabricada nas células gordurosas. A leptina, em suma, ajuda a regular a quantidade de gordura armazenada e a aumentar o metabolismo para manter o peso sob controle. Assim como a sogra que tenta ensinar ao genro a maneira certa de criar os filhos, a frutose estraga esse sistema que funciona perfeitamente sem sua interferência. Ela não estimula a insulina e por isso não aumenta a produção de leptina. E este é o argumento mais importante contra a frutose e o xarope de milho rico nesse açúcar: sem insulina e leptina, o corpo não dispõe de um mecanismo que diga "Basta!".

Os refrigerantes são uma das principais fontes desse inimigo da saúde. Pesquisadores tentaram determinar se o problema estava nesses produtos propriamente ditos ou no xarope de milho de alta frutose. O veredicto: o xarope é o culpado. O *American Journal of Clinical Nutrition* publicou um estudo interessante realizado com dois grupos de pessoas com excesso de peso. Durante 10 semanas, um grupo tomou refrigerantes comuns e o outro grupo consumiu refrigerantes diet (livres desse adoçante). Os integrantes do primeiro grupo ganharam peso e mais gordura corporal, além de terem apresentado um aumento na pressão. Os demais, por terem ingerido menos calorias do que estavam habituados, emagreceram, perderam gordura corporal e ainda contaram com uma queda na pressão.

Consulte a tabela de substituição para se orientar.

ALIMENTOS RICOS EM XAROPE DE MILHO DE ALTA FRUTOSE OU EM FRUTOSE	SUBSTITUIR POR:
Refrigerantes comuns	Água mineral gasosa ou refrigerante diet
Bombons	Barras de chocolate (verifique o rótulo, pois algumas delas contêm xarope de milho de alta frutose)
Cereais com bastante adoçante	Cereais sem açúcar ou com pouco açúcar
Molho de macarrão	Molho de macarrão sem açúcar
Barras energéticas	Barras energéticas sem xarope de milho de alta frutose

Gorduras trans

Falei sobre as gorduras trans no capítulo 4, mas elas são tão prejudiciais à saúde que quero voltar rapidamente a esse assunto e dar algumas dicas de como você pode se proteger delas.

Usadas em milhares de alimentos industrializados, como waffles congelados, biscoitos Oreo, batata frita e bolinhos de farelo de trigo, as gorduras trans são simplesmente um óleo vegetal com infusão de hidrogênio.

Por serem difíceis de digerir, aumentam a quantidade de colesterol ruim no sangue, elevando de forma considerável o risco de doenças cardíacas, enfraquecendo o sistema imunológico e até causando diabetes e câncer.

Essas gorduras deixam a batata frita mais crocante. Também proporcionam aos fabricantes uma forma de acrescentar o gosto de gordura aos alimentos, o que jamais acontecera antes da invenção desse tipo de ingrediente, como no recheio do biscoito Oreo.

NO SUPERMERCADO	EM CASA	NO RESTAURANTE
Verifique a lista de ingredientes à procura da indicação de "gordura vegetal hidrogenada" ou "parcialmente hidrogenada". Quanto mais alta a posição desses ingredientes no rótulo, mais gordura trans os produtos contêm.	Prefira um café da manhã rico em proteínas, como ovos ou lombinho canadense, ao pão branco. Se você comer uma torrada, use margarina Qualy sem gordura trans.	Pergunte que tipo de óleo o chef usa. A resposta ideal é azeite extravirgem de oliva.
Analise o rótulo do alimento. Some todos os gramas de gordura e depois subtraia esse número do conteúdo total de gordura. O resultado é a estimativa da quantidade de gordura trans no produto.	Quando preparar alimentos fritos ou congelados,use azeite extravirgem de oliva, e não óleo (verifique a lista de ingredientes).	Peça alimentos cozidos, assados ou grelhados, e não fritos.
Compre margarina tipo Qualy sem gordura trans.	Tempere legumes e batatas cozidas com azeite extravirgem de oliva, óleo de gengibre ou até com manteiga, mas não com margarina.	Substitua o pão branco dos sanduíches por pão árabe ou pão de sete grãos.
Entenda os rótulos. A indicação "sem colesterol" não significa que seja livre de gorduras trans. Ou seja, procure os que têm a indicação "sem gordura".	Evite o pão branco, que pode estar cheio de gordura trans. É melhor optar por batata cozida, sopa ou salada.	Retire o óleo de frituras tão depressa quanto possível. Um guardanapo absorve a gordura.

As gorduras vegetais hidrogenadas estão em milhares de alimentos. Como não é possível eliminá-las inteiramente, a recomendação é cortar da dieta tantos gramas de gordura trans quanto possível. Veja a seguir a quantidade desse tipo de gordura em alguns produtos populares.

ALIMENTO	GORDURA TRANS (G)
1 pastelão de frango	8
2 biscoitos doces	8
1 porção grande de batata frita	7
1 colher de sopa de margarina em tablete	5
6 biscoitos Oreo	4
1 waffle	4
1 saco pequeno de pipoca de cinema	3,5
1 fatia de torta de maçã	3

| CAPÍTULO 8 |

O programa de refeições da Dieta do Abdômen

RECEITAS RÁPIDAS E FÁCEIS COM OS ALIMENTOS PODEROSOS

SE VOCÊ É COMO MUITAS DAS PESSOAS com quem eu trabalho e como um grande número das que conheço, passa muito pouco tempo na cozinha. Nunca tem tempo para preparar refeições. Toma o café da manhã às pressas ou quando chega ao escritório, almoça com colegas ou clientes e às quatro horas da tarde está beliscando alguma coisa. À noite, ao voltar para casa, só há duas coisas que tem vontade de fazer, e ambas na cama.

Devo confessar que também sou assim. Não tenho tempo, energia nem impulso criativo para cozinhar. É mais provável encontrar contas a pagar em cima do meu fogão do que panelas e frigideiras. E o forno é mais usado como depósito do que para assar qualquer coisa. (Em uma das suas visitas, minha mãe assou acidentalmente uma bola de basquete.) Na primeira vez em que fiz o jantar para minha namorada, ela identificou corretamente o prato principal como "alguma espécie de carne".

Assim, o que você lerá nas próximas páginas é à prova de preguiçosos; se você for capaz de usar um liquidificador e uma frigideira, conseguirá elaborar essas refeições.

A maioria das receitas é de preparo rápido – algumas ficam prontas em menos de cinco minutos. Também sei que você não vai fazer todas as refeições do dia. Por isso, incluí amostras de combinações de alimentos que proporcionam refeições balanceadas, utilizando os Alimentos Poderosos. Para os jantares, as porções são maiores do que seria necessário para uma só pessoa. Assim, no dia seguinte, você pode aproveitar o que sobrar como almoço.

"Vitaminas" da Dieta do Abdômen

AS "VITAMINAS" FIGURAM ENTRE AS melhores partes da Dieta do Abdômen. São preparadas em menos de três minutos. Oferecem vários alimentos com muitos nutrientes. Proporcionam a sensação de saciedade. Como se tudo isso não fosse suficiente, também podem ter o sabor de uma sobremesa de restaurante cinco estrelas. Invente suas próprias misturas usando leite desnatado, iogurte light de baunilha, *whey* e gelo como ingredientes principais. A aveia e as frutas são ótimos acréscimos, assim como uma colher de manteiga de amendoim. Junte todos os ingredientes no liquidificador e bata bem. Para obter um volume extra, acrescente mais gelo. Aqui estão alguns exemplos.

"VITAMINA" SUPREMA DA DIETA DO ABDÔMEN (NÚMERO DE ALIMENTOS PODEROSOS: 3)

1 xícara de leite semidesnatado
2 colheres de sopa de iogurte light de baunilha
3/4 de xícara de aveia dissolvida em água e cozida no microondas
2 colheres de chá de manteiga de amendoim
2 colheres de chá de *whey* de chocolate
6 cubos de gelo em pedaços

Rendimento: duas porções de 220g.
Calorias por porção: 220; proteína: 12g; carboidratos: 29g; gordura: 4g; gordura saturada: 1,5g; sal: 118mg; fibras: 3g.

"VITAMINA" GENERAL MORANGO (NÚMERO DE ALIMENTOS PODEROSOS: 3)

1/2 xícara de iogurte light
1 xícara de leite semidesnatado
2 colheres de chá de manteiga de amendoim
1 xícara de morangos congelados
2 colheres de chá de *whey*
6 cubos de gelo em pedaços

Rendimento: duas porções de 220g.
Calorias por porção: 186; proteína: 11g; carboidratos: 26g; gordura: 5g; gordura saturada: 2g; sal: 151mg; fibras: 3g.

Cereal Killer (número de Alimentos Poderosos: 4)

1/2 xícara de cereal All-Bran rico em fibras
1 xícara de leite semidesnatado
1/2 xícara de frutas vermelhas
1 colher de sopa de mel
2 colheres de chá de *whey*
6 cubos de gelo em pedaços

Rendimento: duas porções de 220g.
Calorias por porção: 145; proteína: 8g; carboidratos: 32g; gordura: 2g; gordura saturada: 1g; sal: 155mg; fibras: 9g.

"Vitamina" de Banana Split (número de Alimentos Poderosos: 3)

1 banana
1/2 xícara de iogurte light de baunilha
1/8 de xícara de suco de laranja concentrado congelado
1/2 xícara de leite semidesnatado
2 colheres de chá de *whey*
6 cubos de gelo em pedaços

Rendimento: duas porções de 220g.
Calorias por porção: 171; proteína: 8g; carboidratos: 33g; gordura: 2g; gordura saturada: 1g; sal: 94mg; fibras: 2g.

"Vitamina" Delícia Mista (número de Alimentos Poderosos: 4)

3/4 de xícara de aveia dissolvida em água ou leite desnatado e cozida no microondas
3/4 de xícara de leite desnatado
3/4 de xícara de frutas vermelhas congeladas e misturadas
2 colheres de chá de *whey*
3 cubos de gelo em pedaços

Rendimento: duas porções de 220g.
Calorias por porção: 144; proteína: 7g; carboidratos: 27g: gordura: 1g; gordura saturada: 0g; sal: 109mg; fibras: 4g.

"Vitamina" dos Deuses (número de Alimentos Poderosos: 4)

3/4 de xícara de iogurte light de baunilha
3/4 de xícara de leite semidesnatado
2 colheres de chá de manteiga de amendoim
1 banana média
1/2 xícara de morangos congelados, sem açúcar
2 colheres de chá de *whey*
4 cubos de gelo em pedaços

Rendimento: duas porções de 220g.
Calorias por porção: 235; proteína: 11g; carboidratos: 39g; gordura: 5g; gordura saturada: 2g; sal: 154mg; fibras: 4g.

"Vitamina" de Verão (número de Alimentos Poderosos: 4)

2/3 de xícara de morangos congelados
1 banana
1/2 xícara de melão-cantalupo
100g de iogurte light de baunilha
3/4 de xícara de leite semidesnatado
2 colheres de chá de *whey* de baunilha
3 cubos de gelo em pedaços

Rendimento: duas porções de 220g.
Calorias por porção: 199; proteína: 9g; carboidratos: 39g; gordura: 2g; gordura saturada: 1g; sal: 117mg; fibras: 4g.

Cafés da manhã da Dieta do Abdômen

EM GERAL, DEPOIS DE ACORDAR, VOCÊ tem que tomar banho, dar uma lida no jornal e ainda ajudar o filho nos deveres de casa. Resultado: o café da manhã acaba sendo a refeição mais sacrificada do dia. Costuma ser preterido por qualquer coisa que exige sua atenção. Mas, se fôssemos classificar as seis refeições em ordem de importância, ele ficaria em primeiro lugar. O café da manhã desperta o metabolismo e diz ao corpo para começar a queimar gordura, diminuindo o risco de obesidade. O meio mais rápido de incorporar a Dieta do Abdômen à sua alimentação matinal é combinar os Alimentos Poderosos. Por exemplo:

- uma "vitamina" de 220g
- 2 colheres de sopa de requeijão light em torrada de cereal integral e fatias de lombinho canadense
- 1 3/4 xícara de farelo de trigo com 1 xícara de leite semidesnatado, 3 rodelas de presunto de peru e 1/2 xícara de morangos (ou de uma fruta similar)
- 2 ovos mexidos, 2 fatias de torrada de cereal integral, 1 banana e 1 xícara de leite desnatado ou semidesnatado
- Cereal feito com 3/4 de xícara de cereal rico em fibras, 1/4 de xícara de granola, 2 colheres de sopa de amêndoas e 3/4 de xícara de leite desnatado ou semidesnatado
- 1 fatia de pão de cereal integral com 1 colher de sopa de Philadelphia Cream Cheese light, 1 laranja média, 1/2 xícara de cereal All-Bran com 1/2 xícara de leite semidesnatado e 1/2 xícara de morangos (ou de uma fruta similar)

Nos fins de semana ou nas manhãs em que dispuser de mais tempo, aproveite para incluir alguns alimentos nutricionais especiais.

SANDUÍCHE ESTIMULANTE DE OVOS (NÚMERO DE ALIMENTOS PODEROSOS: 5)

1 ovo vermelho grande, com ômega-3
2 ovos brancos grandes
1 colher de chá de linhaça moída
óleo de canola para untar
2 fatias de pão de trigo integral torradas
1 fatia de lombinho canadense
1 tomate fatiado ou 1 pimentão verde fatiado

1. Misture todos os ovos em uma tigela e acrescente a linhaça.
2. Unte uma frigideira antiaderente com óleo vegetal e frite a mistura. Em seguida, espalhe-a sobre as torradas.
3. Acrescente o lombinho canadense, o tomate ou o pimentão.

Rendimento: uma porção.
Calorias por porção: 399; proteína: 31g; carboidratos: 46g; gordura: 11g; gordura saturada: 3g; sal: 900mg; fibras: 6g.

Sanduíche Misto Especial (Número de Alimentos Poderosos: 4)

1 baguete de trigo integral
1/2 colher de chá de margarina Qualy sem gordura trans
1 ovo
1 fatia de queijo suíço light
1 fatia de lombinho canadense
vegetais à sua escolha

1. Corte a baguete, leve para tostar e acrescente a margarina.
2. Quebre o ovo no prato do microondas, fure a gema com um palito e cubra com uma tampa de plástico. Leve ao microondas por no máximo 30 segundos. Deixe descansar também por 30 segundos.
3. Acrescente o ovo, o queijo e o lombinho canadense à baguete e leve ao microondas por mais 20 segundos.
4. Adicione vegetais a gosto.

Rendimento: uma porção.
Calorias por porção: 300; proteína: 22g; carboidratos: 28g; gordura: 11g; gordura saturada: 3,5g; fibras: 3g.

Sanduíche de Quem Ainda Não Tomou o Café (Número de Alimentos Poderosos: 3)

1 1/2 colher de chá de requeijão light
1 pão árabe de trigo integral, cortado ao meio para formar dois bolsos
2 fatias de peru ou presunto
alface ou outras folhas verdes

1. Passe o requeijão dentro das duas metades do pão.
2. Preencha com as fatias de peru ou presunto e com as folhas.
3. Leve à boca, mastigue e engula.

Rendimento: uma porção.
Calorias por porção: 225; proteína: 10g; carboidratos: 42g; gordura: 3g; gordura saturada: 1g; sal: 430mg; fibras: 6g.

Almoços da Dieta do Abdômen

NO MEIO DE UM DIA DE TRABALHO, as lanchonetes e balcões de pizzaria podem ser terrivelmente tentadores. Seja forte! Você ainda conseguirá seguir o plano alimentar onde quer que almoce. Frango grelhado e sashimi são boas opções. Em um lugar em que se come sentado, é possível pedir com inteligência, sem cair na armadilha dos pratos especiais. Combinações salvadoras incluem salada com frango assado ou salmão, legumes, amêndoas ou outras nozes, acompanhados de azeite de oliva extravirgem e vinagre balsâmico. Você também pode optar por uma carne magra – em pão de cereal integral ou pura – com uma porção de legumes. Se costuma levar o almoço para o escritório ou comer em casa, aqui estão algumas opções.

SALADA DE QUEM NÃO QUER SALADA (NÚMERO DE ALIMENTOS PODEROSOS: 4)

70g de frango grelhado
1 xícara de alface-romana
1 tomate picado

HISTÓRIA DE SUCESSO DA DIETA DO ABDÔMEN

"Transformei flacidez em músculos!"

Nome: John Betson
Idade: 25 anos
Altura: 1,78m
Peso inicial: 82kg
Seis semanas depois: 75kg

John Betson herdou do pai algo que não queria: tecido flácido no peito. "Sempre tive essa flacidez e desde garoto precisei dar duro na academia para não parecer que tinha seios", diz Betson.

O futebol na escola secundária manteve o problema sob controle por algum tempo. Mas, depois que Betson se formou e assumiu um emprego de 60 horas por semana em um escritório, a gordura começou a se acumular em dois lugares terríveis: na barriga e nos peitorais. Ele decidiu entrar em forma de novo. "Eu queria parecer atraente para minha mulher. Não desejava que tivesse motivos para olhar para outros", afirma.

1 pimentão verde pequeno picado
1 cenoura média picada
3 colheres de sopa de molho de salada italiano com baixo teor de gordura ou 1 colher de chá de azeite de oliva extravirgem
1 colher de sopa de queijo parmesão ralado
1 colher de sopa de linhaça moída

1. Corte o frango em pedaços pequenos.
2. Misture todos os ingredientes e leve à geladeira.
3. Coma com pão de multicereais ou mesmo sem acompanhamento.

Rendimento: uma porção.
Calorias por porção: 248; proteína: 16g; carboidratos: 33g; gordura: 8g; gordura saturada: 2g; sal: 875g; fibras: 10g.

Enrolado de Peru (número de Alimentos Poderosos: 3)

3/4 de colher de sopa de maionese light
1 tortilha de trigo integral ou pão árabe de trigo integral

A primeira semana da Dieta do Abdômen foi a mais difícil – ele teve que alterar todos os seus hábitos alimentares. Betson estava acostumado a fazer apenas duas refeições por dia. Engolia uma banana e um pacote de bolachas no almoço. Depois, armado com o sentimento de que não comera muito durante o dia inteiro, se empanturrava com bolo de carne e pizza no jantar. No entanto, a Dieta do Abdômen exigia que se alimentasse com freqüência – seis vezes por dia. "No início me senti gordo porque estava comendo demais. Mas adorei após a primeira semana: adorei a comida e adorei me sentir mais forte e com mais energia."

Ele também fazia treinamento com pesos três dias por semana e um exercício cardiovascular com essa mesma freqüência, o que provocou mudanças drásticas na composição do seu corpo. Perdeu 7kg e diminuiu a porcentagem de gordura de 23 para 16%. "Dá para ver mais músculos, inclusive os abdominais", diz ele.

O mais espantoso é que, mesmo tendo parado de fumar quando iniciou a dieta, Betson não engordou, como acontece com a maioria das pessoas.

A cintura diminuiu de 92cm para 82cm, mas ele diz que a maior mudança ocorreu internamente. "Ter me tornado uma pessoa mais confiante foi o grande efeito positivo que obtive."

60g de peito de peru assado, cortado em quadrados
2 fatias de tomate
2 folhas de alface

1. Passe a maionese na tortilla. Cubra com o peito de peru, o tomate e a alface.
2. Enrole firme para formar um canudo.

Rendimento: uma porção.
Calorias por porção: 206; proteína: 17g; carboidratos: 26g; gordura: 7g; gordura saturada: 2g; sal: 1.270mg; fibras: 3g.

Guacamole no Pão Integral (número de Alimentos Poderosos: 4)

1 lata (170g) de atum em lata
2/3 de xícara de guacamole
1/4 de xícara de tomate picado
1 colher de chá de suco de limão
1 colher de sopa de maionese light
1 colher de chá de linhaça moída
2 baguetes pequenas de trigo integral

PARA A GUACAMOLE
1 abacate maduro
1/2 cebola pequena picada
2 colheres de sopa de suco de limão ou lima
3 colheres de sopa de coentro fresco picado
pimenta-vermelha picada a gosto
azeite de oliva extravirgem a gosto
(Amasse o abacate com um garfo e misture todos os temperos. Mantenha na geladeira por duas horas coberta com filme-plástico.)

1. Com um garfo, misture os seis primeiros ingredientes em uma tigela.
2. Corte as baguetes ao meio e encha cada metade delas com 1/4 de xícara da mistura.

Rendimento: duas porções.
Calorias por porção: 606; proteína: 36g; carboidratos: 58g; gordura: 28g; gordura saturada: 5g; sal: 942mg; fibras: 13g.

Atum Esperto (número de Alimentos Poderosos: 4)

1/2 xícara de aipo picado
1 cebola picada
1/2 xícara de mussarela light esfarelada
1/2 xícara de queijo cottage light
170g de atum em lata escorrido e desfiado
1/4 de xícara de maionese light
1 colher de sopa de suco de limão
6 torradas de trigo integral

1. Preaqueça o forno a 180ºC.
2. Esquente uma frigideira antiaderente e cozinhe o aipo e a cebola em fogo baixo até ficaram tenros. Acrescente a mussarela, o queijo cottage, o atum, a maionese e o suco de limão e mantenha no fogo até esquentar.
3. Espalhe 1/6 da mistura em cada torrada e asse por 10 minutos.

Rendimento: duas porções.
Calorias por porção: 628: proteína: 50g; carboidratos: 54g; gordura: 24g; gordura saturada: 6g; sal: 1.300mg; fibras: 8g.

A Supersopa (número de Alimentos Poderosos: 3)

220g de peito de frango
1 xícara de cebola picada
1 colher de chá de azeite de oliva extravirgem
2 dentes de alho picados
6 xícaras de caldo de galinha Good light
1 xícara de feijão-branco pequeno, escorrido
1/2 xícara de cenoura picada
1 xícara de milho
1/2 xícara de tomate em lata, sem pele
2 colheres de sopa de manjericão ou salsa picados
1/4 de colher de chá de pimenta-do-reino moída

1. Em uma panela grande, refogue o frango e a cebola no azeite em fogo baixo por cerca de 10 minutos ou até que a cebola esteja dourada. Acrescente o alho e deixe por mais um minuto.
2. Adicione o caldo de galinha, o feijão e a cenoura. Deixe ferver. Junte o milho e o

tomate (com o suco). Cozinhe por 15 minutos. Acrescente o manjericão ou a salsa e tempere com a pimenta-do-reino.

Rendimento: quatro porções.
Calorias por porção: 260; proteína: 27g; carboidratos: 30g; gordura: 5g; gordura saturada: 1g; sal: 602mg; fibras: 6g.

Curry Apressado (número de Alimentos Poderosos: 3)

1/2 xícara de iogurte natural light
1/2 xícara de maionese light
3 colheres de sopa de cebola picada
1 colher de chá de gengibre
1 colher de chá de curry em pó
1/2kg de peito de frango, sem osso nem pele, cortado em tiras
1 colher de chá de páprica
1/2 colher de chá de pimenta-do-reino moída
2 xícaras de arroz integral cozido

1. *Em uma tigela pequena, misture o iogurte, a maionese, a cebola, o gengibre e o curry.*
2. *Coloque o frango em uma tigela média. Salpique com a páprica e a pimenta-do-reino e mexa bem.*
3. *Em uma frigideira antiaderente, cozinhe o frango por quatro a cinco minutos em fogo médio. Acrescente a mistura de iogurte e refogue mexendo por dois minutos. Sirva por cima do arroz.*

Rendimento: duas porções.
Calorias por porção: 598; proteína: 61g: carboidratos: 69g; gordura: 7g; gordura saturada: 1g; sal: 740mg; fibras: 6g.

Sanduíche Prazer em Conhecer (número de Alimentos Poderosos: 3)

2 fatias de pão de trigo integral
60g de rosbife fatiado
2 folhas internas de alface-romana
1 colher de chá de maionese light
30g de mussarela light

1. *Empilhe tudo em um sanduíche.*

Rendimento: uma porção.
Calorias por porção: 380; proteína: 28g; carboidratos: 32g; gordura: 17g; gordura saturada: 6g; sal: 811mg; fibras: 4g.

Jantares da Dieta do Abdômen

O JANTAR É O MOMENTO EM QUE A maioria de nós dá uma desacelerada e se empanturra. Isso ocorre porque passamos todo o dia atendendo as pessoas e nessa hora estamos ansiosos para satisfazer nossas próprias vontades. Pela Dieta do Abdômen, você já terá comido quatro vezes antes do jantar. Por isso, estará sentindo uma fome agradável, não voraz. As refeições a seguir proporcionam o gosto do pecado – sem a culpa.

ALMÔNDEGAS DA FORÇA (NÚMERO DE ALIMENTOS PODEROSOS: 3)

220g de carne moída magra
1/2 xícara de bolachas de trigo integral salgadas esmagadas
1 cebola grande picada
1 dente de alho picado
1 colher de sopa de linhaça moída ou de *whey*
1 lata (450g) de molho de tomate
4 baguetes pequenas de trigo integral
1/2 xícara de mussarela light cortada em tiras

1. *Misture a carne, as bolachas, a cebola, o alho e a linhaça ou o* whey *formando almôndegas do tamanho de uma bola de golfe.*
2. *Em uma frigideira antiaderente, cozinhe as almôndegas em fogo médio até ficarem douradas por inteiro. Escorra a gordura da frigideira e acrescente o molho de tomate.*
3. *Enquanto a mistura está esquentando, use um garfo para tirar um pouco de miolo das baguetes, formando valas rasas. Com uma colher, coloque as almôndegas e o molho em cada pão e cubra com a mussarela.*

Rendimento: quatro porções.
Calorias por porção: 569; proteína: 38g; carboidratos: 65g; gordura: 19g; gordura saturada: 6g; sal: 1,341mg; fibras: 10g.

Frango Atrevido à Brasileira (número de Alimentos Poderosos: 2)

1 limão
1 lima
1 colher de sopa de linhaça moída
1 lata (220g) de molho de tomate
1 lata (180g) de suco de laranja concentrado congelado
1 1/2 dente de alho picado
1 colher de chá de condimento italiano desidratado
4 metades de peito de frango, sem osso nem pele
1 colher de café de pimenta-malagueta
3/4 de xícara de molho de pimenta

1. *Raspe a casca do limão e da lima em um saco plástico. Esprema o suco no saco e descarte a polpa e as sementes.*
2. *Misture o restante dos ingredientes, exceto o frango e a pimenta-malagueta.*
3. *Acrescente o frango, feche o saco e deixe na geladeira por algumas horas.*
4. *Grelhe o frango virando e salpicando o molho marinado algumas vezes, por 10 a 15 minutos ou até que o centro não esteja mais rosa. Sirva com o molho de pimenta.*

Rendimento: quatro porções.
Calorias por porção: 205; proteína: 29 g; carboidratos: 18g; gordura 2g; gordura saturada: 0,5g; sal: 726mg; fibras: 3g.

Contrafilé Apimentado (número de Alimentos Poderosos: 4)

1 colher de sopa de azeite de oliva extravirgem
2 cenouras fatiadas
1 xícara de brócolis picado
2 pimentas-jalapeno cortadas
2 pimentas-de-caiena cortadas
340g de contrafilé magro em fatias finas
4 xícaras de arroz integral cozido

1. *Esquente o azeite em uma frigideira antiaderente em fogo alto. Adicione a cenoura e o brócolis e cozinhe até ficarem tenros.*
2. *Acrescente as pimentas e as fatias de filé e frite até que estejam ao ponto.*
3. *Sirva com o arroz.*

Rendimento: quatro porções.
Calorias por porção: 485; proteína: 32g; carboidratos: 57g; gordura: 14g; gordura saturada: 3,5g; sal: 224mg; fibras: 6g.

Sanduíche da Fartura (número de Alimentos Poderosos: 3)

1 cebola média cortada em rodelas
1 pimentão vermelho pequeno fatiado
1 pimentão verde pequeno fatiado
2/3 de xícara de molho de chili médio ou forte
4 pães pequenos de cereais
340g de rosbife em fatias finas
1/2 xícara de queijo cheddar light, ralado

1. *Em uma frigideira antiaderente, cozinhe a cebola e os pimentões em fogo médio até ficarem tenros. Acrescente o molho de chili e deixe esquentar.*
2. *Prepare os sanduíches com os pães, o rosbife, a cebola, os pimentões e o queijo. Em seguida, esquente no microondas por um a dois minutos, até que o queijo comece a derreter.*

Rendimento: quatro porções.
Calorias por sanduíche: 558; proteína: 35g; carboidratos: 40g; gordura: 28g; gordura saturada: 12,5g; sal: 653mg; fibras: 4g.

Peru à Mexicana (número de Alimentos Poderosos: 4)

1/2kg de carne moída de peru
1 lata (400g) de tomate cortado em cubos
425g de feijão-preto, cozido e escorrido
1 lata (400g) de milho verde, escorrido
1 colher de chá de pimenta-do-reino branca
1 colher de sopa de linhaça moída
1/4 de xícara de água
1 xícara de arroz cozido

1. *Em uma frigideira antiaderente grande, doure a carne de peru em fogo de médio a alto.*
2. *Acrescente o restante dos ingredientes, exceto o arroz, e cozinhe em fogo baixo por 10 minutos. Sirva por cima do arroz.*

Rendimento: quatro porções.
Calorias por porção: 407; proteína: 30g; carboidratos: 52g; gordura: 11g; gordura saturada: 3g; sal: 1.578mg; fibras: 9g.

Frango King Kong (número de Alimentos Poderosos: 3)

2 colheres de sopa de azeite de oliva extravirgem
1/2 cebola picada
1 colher de chá de farinha de trigo
2 colheres de sopa de água
1/2kg de peito de frango
4 colheres de chá de chili
1 xícara de molho de espaguete
250g de espaguete de trigo integral cozido

1. *Esquente o azeite em uma frigideira antiaderente em fogo médio. Acrescente a cebola e cozinhe por um minuto até dourar.*
2. *Em uma tigela pequena, misture a farinha de trigo e a água.*
3. *Na frigideira, junte o frango, o chili, o molho de espaguete e a mistura de farinha de trigo. Mexa. Cozinhe sem tampar, em fogo brando, por 10 minutos. Sirva por cima do espaguete cozido.*

Rendimento: quatro porções.
Calorias por porção: 320; proteína: 31g; carboidratos: 26g; gordura: 10g; gordura saturada: 2g; sal: 360mg; fibras: 5g.

Salmão Encantado (número de Alimentos Poderosos: 5)

2 colheres de sopa de azeite de oliva extravirgem
1 colher de sopa de suco de limão
1/4 de colher de chá de sal
1/4 de colher de chá de pimenta-do-reino moída
1 colher de sopa de linhaça moída
1 dente de alho
4 filés de salmão de 180g cada um
verduras a gosto
1 xícara de arroz cozido

1. *Em uma assadeira, misture o azeite, o suco de limão, o sal, a pimenta-do-reino, a*

linhaça e o alho. Acrescente o salmão, tampe e leve à geladeira por 15 minutos.

2. *Preaqueça o forno a 230ºC. Forre uma assadeira com papel-alumínio e pincele com óleo de canola.*
3. *Tire o peixe do marinado e coloque na assadeira, com o lado da pele virado para baixo. Leve ao forno por 9 a 12 minutos. Sirva com as verduras e o arroz.*

Rendimento: quatro porções.
Calorias por porção: 411; proteína: 40g; carboidratos: 15g; gordura: 20g; gordura saturada: 3g; sal: 231mg; fibras: 1g.

Lingüiça de Peru Tentação (número de Alimentos Poderosos: 5)

150g de lingüiça de peru defumada, fatiada
1 cebola pequena picada
1 vidro (85g) de cogumelos fatiados
1 dente de alho picado
450g de feijão-preto cozido
1 lata (220 g) de feijão-branco pequeno escorrido
1 lata (400g) de polpa de tomate
sal e pimenta-do-reino a gosto
1/4 de xícara de migalhas de pão
3/4 de colher de sopa de linhaça moída
3/4 de colher de sopa de azeite de oliva extravirgem

1. *Preaqueça o forno a 180ºC. Coloque a lingüiça em uma assadeira e leve ao forno até ficar dourada (cerca de cinco minutos). Escorra a gordura e reserve a lingüiça na assadeira.*
2. *Em uma frigideira antiaderente, refogue a cebola, os cogumelos e o alho em fogo médio por cinco a sete minutos.*
3. *Transfira todo o conteúdo da frigideira para a assadeira. Em seguida, acrescente os feijões, a polpa de tomate, o sal e a pimenta-do-reino. Asse por 20 minutos ou até que comece a borbulhar nas beiradas.*
4. *Em uma tigela pequena, misture as migalhas de pão, a linhaça e o azeite. Salpique sobre a carne e grelhe a uma distância de 10 a 15cm da chama até que a parte de cima fique dourada (cerca de três minutos).*

Rendimento: quatro porções.
Calorias por porção: 348; proteína: 20g; carboidratos: 53g; gordura: 8,5g; gordura saturada: 2g; sal: 1.463mg; fibras: 13g.

MARAVILHA DE ESPAGUETE (NÚMERO DE ALIMENTOS PODEROSOS: 5)

340g de carne bovina magra moída
1 1/2 cebola picada
1 pimentão verde picado
2 dentes de alho picados
1 xícara de cogumelos fatiados
2 latas (450g) de tomate italiano
1 vidro (550g) de molho de espaguete
2 colheres de sopa de tempero italiano
500g de espaguete de trigo integral

1. *Em uma panela grande, frite a carne em fogo médio a alto até tostar. Escorra a gordura que sair da carne. Acrescente a cebola, o pimentão e o alho. Cozinhe até ficarem tenros. Adicione os cogumelos, o tomate (com o suco), o molho de espaguete e o tempero italiano. Misture bem. Deixe cozinhar em fogo brando.*
2. *Em outra panela, cozinhe o espaguete de acordo com as instruções na embalagem.*
3. *Sirva com 1/2 xícara do molho sobre cada xícara de espaguete.*

Rendimento: quatro porções.
Calorias por porção: 400; proteína: 28g; carboidratos: 50g; gordura: 12g; gordura saturada: 4g; sal: 798mg; fibras: 10g.

TORTILHA DE GODZILLA (NÚMERO DE ALIMENTOS PODEROSOS: 4)

220g de carne bovina magra moída ou de carne de peru moída
1/2 xícara de cebola picada
2 dentes de alho picados
1/2 xícara de feijão-mulatinho cozido e amassado
2 pimentões verdes sem sementes cortados em cubos
2 colheres de chá de chili
4 tortilhas grandes de trigo integral ou pão árabe de trigo integral
2/3 de xícara de alface picada
1 xícara de tomate cortado
1/2 xícara de queijo suíço light

1. *Em uma frigideira antiaderente grande, refogue a carne, a cebola e o alho em fogo médio a alto, até que a carne fique dourada. Escorra a gordura.*

2. Misture o feijão, os pimentões e o chili e cozinhe até esquentar. Retire do fogo.
3. Aqueça as tortilhas no microondas por 20 segundos. Em seguida, preencha cada uma delas com metade da mistura. Cubra com a alface, o tomate e o queijo. Enrole cada tortilha na forma de um canudo.

Rendimento: quatro porções.
Calorias por porção: 270; proteína: 21g; carboidratos: 32g; gordura: 9g; gordura saturada: 4g; sal: 341mg; fibras: 6g.

Lanches da Dieta do Abdômen

A MAIORIA DAS DIETAS APRESENTA O chamado lanchinho como um fracasso. Quero que você pense a respeito dele exatamente como o oposto, isto é, como uma chave para o sucesso! Mas o segredo para a eficácia é escolher o momento ideal para o lanche: cerca de duas horas antes do horário previsto para a próxima refeição. Será tempo suficiente para acabar com as pontadas de fome. Isso o manterá completamente satisfeito para evitar um colapso na hora da refeição. O lanche é bastante flexível: pode ser uma sobra do jantar ou um sanduíche, uma "vitamina" ou uma combinação de alguns dos 11 Alimentos Poderosos. Para facilitar, escolha um alimento da coluna A e um da coluna B. Sua saciedade estará garantida.

A		B	
PROTEÍNA	**LATICÍNIO**	**FRUTA OU VEGETAL**	**CARBOIDRATO COMPLEXO**
30g de amêndoas, castanhas-de-caju ou pistache	220g de iogurte light	30g de passas	1 ou 2 fatias de pão de cereal integral
3 fatias de peito de peru com pouco sal	1 xícara de leite semidesnatado natural ou achocolatado	Legumes crus (aipo, cenoura baby, brócolis), à vontade	1 tigela de aveia ou de outro cereal com muitas fibras
3 fatias de rosbife	3/4 de xícara de sorvete diet	1 1/2 xícara de morangos ou frutas similares	
	1 1/2 fatia de queijo light	110g de melão-cantalupo	
		1 laranja grande	
		1 lata (320g) de suco V8, ou suco de tomate	

| CAPÍTULO 9 |

A Dieta do Abdômen na vida cotidiana

ESTE PROGRAMA ALIMENTAR SIMPLES VAI FACILITAR SUA VIDA

EM CAPÍTULOS ANTERIORES, MOSTREI por que a Dieta do Abdômen funciona e vai funcionar para você, pelo resto da sua vida. Apresentei uma visão geral dos fatos científicos e mencionei termos técnicos, como índice glicêmico e metabolismo basal. Também formulei todo um plano alimentar, com indicações sobre refeições e lanches, além de receitas simples.

Expliquei ainda por que quase todas as outras dietas não são projetadas para durar a longo prazo ou são tão complicadas e restritivas que temos praticamente que largar o emprego e romper com os amigos para podermos segui-las com rigor. Muitas delas fracassam porque exigem que trabalhemos muito, ignorando o fato de que já estamos excessivamente ocupados. O que a maioria de nós sente todos os dias é que nosso mundo está rodopiando, à beira de escapar do controle. E o que desejamos mesmo é recuperá-lo – tomar as rédeas da nossa vida, da nossa carreira, do nosso corpo, da nossa alimentação.

É por isso que quero fazer uma pausa neste momento para mostrar como a Dieta do Abdômen se ajusta com facilidade a um estilo de vida movimentado e como suas estratégias alimentares simples podem reduzir de forma considerável o estresse e os problemas da vida cotidiana. Para fazer isso, decidi apresentar um rápido relato de um dia na vida de um homem trabalhador típico. Vamos chamá-lo de João.

Um dia na vida de João

6H30 - João acorda, vai para a cozinha e liga a cafeteira. Enquanto faz o café, ele enche uma xícara com leite desnatado. Toma o leite até que reste apenas 1/8 de xícara e depois despeja o café por cima.[1] Dá uma olhada rápida no jornal, sem se esquecer de verificar a página de obituários e o caderno de esportes.

7H – João liga a televisão para assistir ao noticiário e às entrevistas da manhã. Enquanto escuta a previsão do tempo, ele pega gelo, iogurte, uma colherada da proteína *whey* e linhaça moída, a sobra de uma fruta, um pouco de suco de limão ou de laranja ou qualquer outra coisa que esteja disponível na cozinha. Coloca tudo no liquidificador e bate por 30 segundos. Despeja uma parte em um copo e guarda o restante em uma pequena garrafa térmica, que levará para o escritório.[2]

8H - Depois de tomar banho, fazer a barba e se vestir, sai de casa e segue a pé para o trabalho – uma caminhada de cerca de 35 minutos. No trajeto, compra um pacote de amêndoas e uma maçã, que guardará na sua mesa de trabalho. A garrafa térmica com a "vitamina" vai para a geladeira do escritório. Depois, ele começa a trabalhar – faz ligações, lê e-mails, etc.

10H - Enquanto ainda está respondendo aos e-mails, João saboreia um lanche com as amêndoas e a fruta. Isso o mantém satisfeito até a hora do almoço.[3]

12H - Sempre que possível, ele vai à academia se exercitar. (João evita ao máximo os almoços de negócios, pois tomam muito tempo e fazem com que perca o controle da dieta.)

13H – Quando termina os exercícios, ele come uma barra de proteína ou toma uma "vitamina" de proteína.[4] Depois vai até o restaurante natural e pede, para viagem, uma salada de espinafre, que também tem feijão, milho, brócolis, pimentão vermelho e frango grelhado, com meia concha de vinagre balsâmico por cima.[5]

15H - João está com fome (de novo). Ainda bem que ele tem aquela deliciosa "vitamina" guardada na geladeira do escritório. Enquanto alguns dos seus colegas podem estar sofrendo o declínio de energia que costuma ocorrer por volta das três horas da tarde, ele faz esse lanche para manter o vigor.[6]

19H - Nas últimas cinco horas, João vem trabalhando com o maior empenho. Portanto, naturalmente, está pronto para... mais trabalho. Ele tem um jantar de negócios quase todas as noites. Essa é a refeição menos disciplinada do dia, mas a Dieta do Abdômen sempre perdoa: seu jantar típico começa com uma salada mista, seguida de um filé com brócolis ou vagens.[7] Além disso, ele bebe dois copos de vinho tinto e pode até pedir uma sobremesa, embora costume dividi-la com alguém.[8]

23H – Em casa, João começa a rondar a geladeira em busca de mais alguma coisa para comer. Normalmente, ele mantém ali dois tipos de frios – peru e queijo suíço. E encerra a noite com um copo de leite desnatado.[9]

1. Uma porção de cálcio e proteína de baixa gordura proporciona um impulso metabólico imediato, ajudando a garantir o suprimento diário de cálcio e vitamina D. O ritual do café é apenas um bom lembrete para tomar o leite desnatado todas as manhãs.

2. Mais proteína, mais cálcio, além de fibras, vitaminas e minerais. Ao fazer uma quantidade extra de "vitamina" e levá-la para o escritório, João consegue preparar um lanche suficiente para dois momentos do dia em cerca de 30 segundos. (Atenção: procure não guardar a vitamina na geladeira dentro do copo do liquidificador, pois os ingredientes tendem a se desagregar após poucas horas e ela perde a consistência. O ideal é mantê-la na geladeira em uma pequena garrafa térmica.)

3. Mais fibras e mais vitaminas, minerais e proteína. É preciso ressaltar sempre a importância de ter comida no local de trabalho. Alguns exemplos são: mix de cereais em flocos, frutas e sopas desidratadas ricas em fibras. A partir do momento em que abastece sua mesa com alimentos saudáveis, você consegue administrar o que ingere durante o dia. Quando uma reunião se prolonga e não dá para sair para almoçar, há bons alimentos à sua disposição. Mais uma vez: quanto mais controle você tiver sobre sua nutrição, mais controle terá sobre seu corpo e sua vida.

4. Um número crescente de pesquisas revela a importância de comer imediatamente após o exercício, quando o corpo procura por uma fonte de energia. Se você se alimentar logo, o organismo usará a comida para reconstituir os músculos; no entanto, se passar algum tempo com fome, ele vai decompor músculos para obter energia, o que é ruim. Não gosto de esperar

---

HISTÓRIA DE SUCESSO DA DIETA DO ABDÔMEN

"Resolvi o problema da dor nas costas... e recuperei minha vida!"

Nome: Steve Toomey
Idade: 39 anos
Altura: 1,90m
Peso inicial: 97,5kg
Seis semanas depois: 88,5kg

Quando Steve Toomey se virava na cama, sentia uma contração nas costas ao menor movimento. Não era uma dor terrível, mas era desagradável e interferia na sua vida.

"Prejudicava minha capacidade de me divertir com meus filhos. Eles têm seis, cinco e três anos, e ainda há mais um a caminho. Todos querem brincar de luta, rolar pelo chão. Sempre me perguntavam: 'Papai, quando suas costas vão melhorar para a gente poder brincar?'"

Um médico lhe recomendou que fizesse alongamento. Na consulta seguinte, Toomey

sequer os 10 minutos entre a academia e a lanchonete – como assim que termino os exercícios (embora não no vestiário, o que seria absurdo).

5. Mais fibras, mais proteína, mais vitaminas e minerais. Há um padrão se formando.

6. Mais proteína, mais cálcio, mais fibras. Esse camarada nunca pára?

7. Peça o filé, mas dispense purê de batata e similares. Se você faz parte do grande número de pessoas que come demais no jantar, deve restringir os carboidratos na medida do possível. Dessa maneira, pode ingerir a quantidade que quiser.

8. Isso mesmo, não há nada de errado em pedir sobremesa. Lembre-se de que os alimentos com muita gordura e muito açúcar servem como uma concessão, e não como um lanche tresloucado. É melhor saborear um *crème brulée* no restaurante do que devorar, sem pensar, meio saco de batata frita enquanto assiste à televisão – centenas de calorias com muito sal e gordura das quais você não se lembrará 10 minutos depois de tê-las ingerido. Divida a sobremesa com alguém para sentir todo o prazer e metade da culpa. (Atenção: a proporção prazer-culpa pode variar dependendo da pessoa com quem você partilha a sobremesa.)

9. Mais cálcio e mais proteína, incluindo o triptofano, que está presente na carne de peru e nos laticínios e é um indutor do sono.

---

disse que esse exercício não estava ajudando, e o médico decidiu que tentariam mais uma vez antes da realização do exame de ressonância magnética. Mas foi nessa ocasião que Toomey aderiu à Dieta do Abdômen.

"Depois que incorporei a rotina da dieta, a dor desapareceu. Agora sou religioso em relação ao programa", afirma ele.

Toomey já perdeu 6,3cm de cintura. Não sente mais dor à noite nem tem medo de uma súbita pontada quando está brincando com os filhos. E mais: em uma casa cheia de crianças, onde há sempre pizza e cachorro-quente, a mudança na alimentação foi bem-vinda.

"Esta dieta não é tão restritiva quanto as outras que já experimentei, em particular as de poucos carboidratos. Eu chegava a sonhar com fatias de pão. Agora posso comer carboidratos. Nunca me sinto faminto." A maior recompensa para ele, no entanto, talvez seja a trapaça semanal. "Minha mulher faz três enroladinhos de ovo e carne ao estilo vietnamita, fritos em bastante gordura, um prato que adoro. Como isso aos domingos sem me sentir culpado. Creio que é este o segredo: poder sair da dieta uma vez por semana sabendo que não vou estragar nada."

Como o estresse faz você engordar

UM DOS MAIORES BENEFÍCIOS DA Dieta do Abdômen é o fato de que ela o ajuda a assumir controle da sua vida, o que equivale a assumir o controle do nível de estresse. E faço questão de enfatizar como a administração do estresse é importante para seu peso, para sua saúde e para sua qualidade de vida.

Isso acontece porque nossos corpos não estão programados para lidar com o estresse da vida moderna. Quando ele começa, uma das primeiras providências do organismo é aumentar a produção de adrenalina. Esse hormônio faz com que as células gordurosas de todo o corpo mandem as reservas de ácidos graxos para a corrente sangüínea, a fim de serem usadas como energia. Isso era ótimo no tempo em que uma situação de estresse correspondia a enfrentar um tigre de dentes enormes ou o ataque de uma horda de bárbaros – momento em que o cérebro acionava o mecanismo de lutar ou fugir. Mas não é tão bom na sociedade de hoje. Nós não lutamos nem fugimos, apenas trabalhamos além do horário para concluir muitas tarefas a tempo. Enquanto isso, as glândulas supra-renais estão produzindo mais um hormônio para lidar com toda essa gordura recém-liberada. O nome dele é cortisol, mas prefiro que você o chame pelo apelido: o hormônio da gordura na barriga.

Em um estudo conduzido pela Universidade de Yale, os pesquisadores pediram a 42 pessoas com excesso de peso que, durante uma hora, se dedicassem a tarefas estressantes, como a solução de problemas de matemática e enigmas e a realização de discursos. Durante todo o tempo, os níveis de cortisol dos voluntários foram medidos. Os participantes que tinham mais peso extra no abdômen eram os mesmos que segregavam mais cortisol quando se encontravam sob pressão. A teoria é a seguinte: o estresse se instala, a adrenalina mobiliza gordura de todo o corpo e o cortisol pega a porção de gordura que não foi usada e a estoca na região abdominal, causando um grande malefício. Em um estudo com 438 bombeiros, os que disseram ter preocupações financeiras ganharam 5,07kg ao longo de sete anos, enquanto os que não manifestavam esse tipo de preocupação engordaram em média 3,35kg. A chave para administrar a barriga, portanto, é dominar o estresse. Veja a seguir algumas maneiras comprovadas de manter a cabeça – e o abdômen – sob controle.

CUIDE DO SONO. Um estudo realizado pela Universidade de Chicago, publicado em *Sleep*, mostrou que os homens que dormiam apenas quatro horas por noite apresentavam níveis de cortisol 37% mais altos em relação aos que tinham oito horas de sono completas. No caso dos que permaneciam acordados a noite inteira, os níveis desse hormônio eram 45% mais elevados. Os especialistas em sono recomendam às pessoas que se esforcem para dormir oito horas por noite.

TENHA UM SONO TRANQÜILO. A qualidade do sono também é fundamental. Outro estudo conduzido pela Universidade de Chicago mostrou que os homens que tinham um sono bastante profundo – de qualidade, sem sonhos e sem o movimento rápido dos olhos – segregavam quase 65% mais hormônio do crescimento humano do que aqueles que quase não desfrutavam desse tipo de sono. Esse hormônio é importante para prevenir a perda de massa muscular causada pelo cortisol.

LEMBRE-SE DA VITAMINA C. Se você está em um momento estressante da vida – talvez especulando por que aquele depósito que deveria ter sido feito há duas semanas na sua conta ainda não deu o ar da graça –, trate de tomar um reforço de vitamina C. Para administrar o estresse, é provável que precise de 1.000mg por dia, divididos em pequenas doses.

NÃO TOME O ÚLTIMO DRINQUE. A bebida desidrata o corpo. O organismo interpreta a escassez de água como uma situação de emergência, e isso aumenta o nível do cortisol. Que quantidade de álcool é excessiva? A resposta provável: três drinques por dia. A mesma idéia de desidratação aplica-se à cafeína. Para o controle do cortisol, limite-se a 200ml diários, o que há em cerca de 2 xícaras de café.

Maneiras de impedir que os restaurantes sabotem sua dieta

Resista à tentadora cesta de pães e às pastas do couvert e saboreie apenas os vegetais.

Muitos chefs usam pelo menos 30g de manteiga (200 calorias e 24g de gordura) no filé para fazer com que a carne pareça mais suculenta. Avise que esse artifício pode ser dispensado.

Se o restaurante serve a salada já com o molho misturado, melhor. Essa quantidade de molho é em geral menor do que a que você acabaria colocando sobre os vegetais se o pedisse em separado.

ASSUMA O COMANDO. É sempre útil ter um sentido de controle sobre alguns dos fatores estressantes na sua vida. "Quando assustávamos um participante do experimento com um barulho aleatório, seus hormônios do estresse aumentavam", afirma Robert Sapolsky, Ph.D., professor de Ciências Biológicas e Neurológicas na Universidade de Stanford. "Mas, quando lhe dávamos um botão e lhe dizíamos que se o apertasse ele reduziria a probabilidade de ocorrência do barulho, sua reação de estresse ao mesmo som era menor." Ser organizado, ainda que em relação a pequenas coisas, pode ajudá-lo a se sentir mais como o comandante do seu navio.

FAÇA UM PLANO. "As pessoas administram o estresse com mais eficiência quando acreditam que as coisas estão melhorando", diz Sapolsky. Portanto, procure ter sempre algo pelo qual esperar. A esperança é uma aliada no controle do estresse.

CULTIVE A ESPIRITUALIDADE. Lembre-se da sabedoria simples de Simone Weil: qualquer atenção não dividida é oração. Se você for capaz de interromper o tumulto na sua mente e todos os dias, por um breve período, concentrar a atenção total em alguma coisa – em um chute para gol, em um trabalho manual ou em uma criança –, conseguirá adquirir a serenidade que muitas pessoas encontram na fé.

| CAPÍTULO 10 |

Turbinando a Dieta do Abdômen

COMO OS EXERCÍCIOS QUEIMAM GORDURA E ACRESCENTAM MÚSCULOS

TALVEZ OS ÚLTIMOS MESES, ANOS ou décadas da sua vida tenham sido uma grande tempestade – uma tempestade de festas no escritório, de happy hours e de pizzas entregues à meia-noite. Quando você é jovem, essas situações podem ser divertidas; à medida que envelhece, no entanto, são mais uma complicação do que qualquer outra coisa. Descarregam quilos e quilos de gordura na sua barriga antes esguia, deixando os músculos abdominais soterrados. Depois, não há sol que consiga derreter sua gordura. Se quiser encontrar seus músculos abdominais, terá que queimá-la você mesmo.

Alimentar-se da forma adequada é um ponto fundamental. Ao seguir os princípios nutricionais da Dieta do Abdômen, concentrando as refeições nos Alimentos Poderosos, você perderá gordura quase sem esforço. Mas, para maximizar a redução do peso e substituir a gordura por músculos, este livro inclui um recurso que a maioria das dietas ignora: um programa de exercícios rápidos e fáceis. A atividade física não o deixará apenas mais saudável – ela lhe permitirá emagrecer mais depressa. E fará com que fique mais forte. E o mais importante: seu corpo passará a converter gordura em músculos ao transformar a energia que está armazenada na gordura em energia que alimenta a musculatura.

Os princípios dos exercícios da Dieta do Abdômen

DEPOIS DE DEZ ANOS TRABALHANDO na *Men's Health*, conheço todas as tendências em exercícios. Além disso, estou sempre me atualizando no estudo das pesquisas científicas que medem a eficácia dos vários programas nessa área. Com esse conhecimento, desenvolvi a parte de atividade física deste plano para ajudá-lo a queimar gordura nos mais altos níveis possíveis e com o menor dispêndio de tempo. Compreendo que você não pode passar horas se exercitando todos os dias. Por isso, quero que tire o máximo proveito de cada exercício. Também sei que a flexibilidade e a conveniência são as chaves para formular um esquema que você consiga cumprir. Tendo isso em mente, selecionei exercícios que podem ser feitos na academia mais próxima ou na sua casa.

Antes de você começar qualquer programa regular de exercícios, é fundamental fazer uma avaliação médica das suas atuais condições de saúde.

Este plano permite que você se atenha a exercícios breves e dirigidos ao mesmo tempo que continua em busca do objetivo maior. Quilo a quilo, este é o melhor programa para redescobrir os músculos abdominais. Agora conheça seus princípios.

EM PRIMEIRO LUGAR, FOCALIZE A DIETA. Os exercícios são opcionais nas duas primeiras semanas. Se você já pratica uma atividade física regularmente, pode ir direto para o Programa de Exercícios da Dieta do Abdômen, pois queimará ainda mais gordura do que apenas com a dieta. Mas, caso seja um principiante ou não se exercite há muito tempo, aproveite as duas primeiras semanas para se ajustar ao seu novo plano alimentar antes de iniciar os exercícios. Se estiver ansioso para maximizar logo a perda de peso, comece a fazer uma atividade física, como caminhadas vigorosas todos os dias durante 30 minutos.

HISTÓRIA DE SUCESSO DA DIETA DO ABDÔMEN

"Recuperei a auto-estima!"

Nome: Brian Archiquette
Idade: 35 anos
Altura: 1,90m
Peso inicial: 125kg
Seis semanas depois: 113kg

Depois de alcançar seu peso máximo em todos os tempos, 156kg, Brian Archiquette entrou para uma academia. Em nove anos de casamento, ele engordou 58kg e finalmente tomou uma decisão. Estava cansado de ser gordo. Sentia-se infeliz e deprimido. "Tinha a sensação de estar à margem da vida", diz.

Acrescente-se a isso o fato de que seu pai morrera de insuficiência cardíaca. Archiquette estava indo pelo mesmo caminho. Ele precisava mudar – e logo. Assim, passou a fazer os

CONCENTRE-SE NOS MÚSCULOS. Trabalhei com um homem que tinha quase 15kg de excesso de peso. Ele decidiu que começaria a fazer um programa de corrida como motivação para emagrecer. Corria seis dias por semana e cumpria fielmente o plano, mas não perdia sequer 1kg. É verdade que ele estava conseguindo correr mais do que nunca, porém seu corpo permanecia o mesmo. Por quê? Primeiro, porque a base da sua alimentação continuou sendo pizza, macarrão e outros alimentos similares. Segundo, porque o exercício cardiovascular regular não queima tanta gordura quanto o treinamento de força. (Diga-se de passagem: quando essa pessoa iniciou a Dieta do Abdômen e passou a treinar com pesos, emagreceu quase 10kg em menos de dois meses.)

Os músculos estão sempre famintos. Para se manterem bem nutridos, querem absorver e usar as calorias ingeridas. Portanto, quanto mais músculos, mais calorias são queimadas – na academia, no trabalho e até mesmo dormindo. O Programa de Exercícios da Dieta do Abdômen concentra-se nos grandes grupos musculares – pernas, peito, costas e ombros – porque essas são as áreas em que mais músculos podem ser desenvolvidos em menos tempo. Além disso, o trabalho com os músculos maiores acelera o metabolismo, criando uma queima posterior de calorias mais prolongada e que pode durar até a próxima sessão de exercícios!

---

exercícios indicados na revista *Men's Health* e, pouco a pouco, baixou o peso para 125kg. Depois de iniciar a Dieta do Abdômen, perdeu mais 12kg em seis semanas.

"Precisei planejar as refeições e os horários em que comia. Tentei encontrar um equilíbrio para não ter fome em nenhum momento do dia, além de acrescentar os exercícios. Antes, eu passava longos períodos sem me alimentar e depois comia demais porque me sentia faminto."

Embora continue empenhado no objetivo de chegar aos 98kg, ele já obteve maravilhosos resultados. A cintura diminuiu de 122cm para 102cm. Agora, quando vai ao shopping, não precisa procurar um lugar para se sentar toda hora. O maior benefício, diz ele, foi o resgate da sua auto-estima.

"Tenho mais energia e uma perspectiva mais positiva da vida. Estou mais confiante, até mesmo quando falo com as pessoas no trabalho. Sempre ficava inibido, pois achava que elas estavam olhando para minha barriga estufada ou reparando que minha camisa estava muito apertada. Agora me sinto melhor comigo mesmo."

Pense na fração mínima de tempo que você dedica à atividade física. Mesmo que a pratique quatro ou cinco vezes por dia, despendendo uma hora a cada vez, não é nada em comparação com a quantidade de tempo em que não está fazendo exercícios. Portanto, para obter o maior benefício metabólico possível, você deve maximizar as calorias que seu corpo queima quando não está se exercitando.

PASSE MENOS TEMPO NA ACADEMIA. O Programa de Exercícios da Dieta do Abdômen emprega dois conceitos simples para maximizar o desenvolvimento muscular e a queima de gordura e minimizar o tempo que você reserva à atividade física.

Treinamento de circuito. Trata-se da realização de exercícios diferentes um após o outro. Por exemplo, você faz uma série de exercícios para as pernas, seguida imediatamente de uma série que trabalha a parte superior do tronco, até completar 8 a 10 tipos de exercícios distintos consecutivos. O treinamento de circuito dá bons resultados por dois motivos. Primeiro, como você fica em

Fatos da Dieta do Abdômen

Permaneça lento e firme

Aqui está uma dica: bem devagar, diga as palavras "lento e controlado" para si mesmo enquanto levanta o tronco flexionado em um abdominal. O tempo que você leva para alcançar a posição mais alta do movimento de subida tem que ser igual ao tempo de que precisa para dizer essa frase (e isso tem que ser repetido durante o movimento de descida).

Trate de se alongar

Se os tendões das suas pernas estão tensos, é possível que você crie o hábito de se inclinar para trás, a fim de aliviar a pressão. Essa postura tende a projetar o abdômen para a frente, fazendo-o parecer ainda mais barrigudo. Alongar os tendões umas poucas vezes ajuda. Se você já faz alongamento, o caminho mais rápido e mais fácil para relaxar as costas e os tendões ao mesmo tempo que contrai o abdômen é executar o seguinte exercício: sente-se no chão com a perna direita esticada à sua frente, os dedos do pé virados para cima. Flexione o joelho esquerdo para encostar o calcanhar esquerdo na parte interna da coxa direita, perto da virilha, e mantenha o joelho esquerdo quase tocando o chão. Devagar, estenda o braço direito e toque na ponta do pé direito. Se não conseguir fazer isso, tente pegar seu tornozelo. Sustente essa posição por 30 segundos, volte à posição inicial e depois se alongue de novo por mais 30 segundos. Repita o esquema duas vezes com o lado esquerdo.

movimento e reduz os períodos de descanso entre os exercícios, sua freqüência cardíaca mantém-se elevada durante toda a sessão, maximizando a queima de gordura ao mesmo tempo que proporciona tremendos benefícios à capacidade cardiovascular. Segundo, esse tipo de treinamento abrevia o tempo na academia, uma vez que os intervalos para descanso são eliminados. Isso significa que você pode voltar logo à sua vida movimentada.

Exercícios compostos. Outra parte fundamental do programa de treinamento de força está nos exercícios compostos, aqueles que usam vários grupos musculares em vez de um apenas. O objetivo do Programa de Exercícios da Dieta do Abdômen não é fazê-lo exercitar isoladamente os músculos do peito, depois os ombros, os tríceps, os antebraços. O propósito é que você trabalhe vários músculos ao mesmo tempo na academia e depois vá para casa. Um estudo comprovou que é possível adquirir 3kg de músculos e perder 7kg de gordura em seis semanas, seguindo um programa que emprega os exercícios compostos da Dieta do Abdômen. Ainda melhor: os homens que participaram

---

Apague o cigarro

As pesquisas mostram que os fumantes apresentam uma proporção abdômen-quadril maior do que ex-fumantes e do que pessoas que nunca fumaram. Isso significa que eles têm mais probabilidade de concentrar os quilos extras em torno da cintura. É outro motivo para você largar de uma vez por todas esse causador de câncer.

Pense pequeno

É claro que calorias em excesso acarretam aumento de peso. Mas a quantidade que você come e a freqüência com que faz isso são igualmente importantes. Ingerir lautas refeições, por exemplo, pode distender os músculos abdominais. Se você começar a se empanturrar regularmente, eles perderão a capacidade de conter a barriga. Essa é mais uma das razões pelas quais é melhor fazer um grande número de refeições pequenas do que comer poucas vezes e em grandes quantidades.

Encontre tempo para contrair os músculos

Quando estiver no carro ou sentado à mesa de trabalho, contraia a cintura como faria no início do exercício abdominal. Sente-se com o tronco reto e contraia os músculos abdominais durante 60 segundos, pelo menos uma vez por hora. A qualquer momento em que sentir que relaxaram, repita esse procedimento.

do experimento só se exercitavam 20 minutos de cada vez, três vezes por semana. Além de tornarem o trabalho mais divertido e desafiador, esses exercícios exigem mais dos músculos – até mesmo após o fim da atividade física. (Por exemplo, o agachamento envolve 256 músculos em apenas um movimento!) Um esforço muscular maior faz com que o corpo produza mais hormônio do crescimento, um poderoso queimador de gordura.

Se o único peso que você já levantou foi sua barriga – e não foi em uma academia –, não se preocupe. Você pode começar pelo levantamento de qualquer peso que não acarrete dificuldade, seja um pequeno haltere, seja uma lata de massa de tomate. Mesmo que comece com pouco, vai se tornar mais forte, desenvolvendo os músculos, queimando gordura e mantendo o metabolismo acelerado.

FOCALIZE A INTENSIDADE. Vamos voltar ao homem que mencionei. Ele corria seis dias por semana, mas sempre devagar. A velocidade nunca aumentava. Por causa disso, seu corpo não queimava muita gordura. Um grande número de pesquisas tem demonstrado que os exercícios de maior intensidade promovem mais perda de peso do que as atividades de ritmo constante. Em um estudo canadense, os pesquisadores mediram diferenças na redução de gordura entre dois grupos de pessoas que seguiram programas de exercícios diferentes. O primeiro grupo pedalava em bicicletas ergométricas quatro ou cinco vezes por semana e queimava de 300 a 400 calorias por sessão de 30 a 45 minutos. Os

Fatos da Dieta do Abdômen

Cultive uma boa postura

Quando estiver andando, mantenha a coluna ereta. Para garantir a melhor postura, imagine que há uma capa como a do Super-Homem pendendo dos seus ombros. Além de lhe proporcionar uma aparência mais esguia, isso condiciona os músculos abdominais a ficarem retesados e firmes. Outra boa dica é pensar nas costas como uma parede e na barriga como o móvel que está encostado nela para impedir que empene.

Tenha cuidado com as costas

Ao contrário da crença popular, os abdominais não se localizam apenas em torno do umbigo. Eles constituem um complexo sistema de músculos ligados ao tórax, ao quadril e até mesmo à coluna. Para ter abdominais fortes, não basta fazer exercícios para a barriga. Também é preciso fortalecer a região lombar e os músculos oblíquos, que se estendem nas laterais do tronco.

integrantes do segundo grupo faziam a mesma coisa, mas apenas uma ou duas vezes por semana. No restante das sessões, eles pedalavam vigorosamente em breves intervalos – subiam nas bicicletas e se exercitavam o mais rápido que conseguiam por 30 a 90 segundos, descansavam e repetiam esse processo várias vezes. O resultado é que queimavam de 225 a 250 calorias enquanto pedalavam. No fim do estudo, porém, haviam gasto mais calorias do que os participantes do primeiro grupo – embora se exercitassem menos, a eliminação de gordura foi nove vezes maior. Segundo os pesquisadores, a maior parte da queima de gordura ocorria depois de finalizada a atividade física.

O Programa de Exercícios da Dieta do Abdômen recomenda que você faça uma única sessão de exercício intervalado por semana para complementar o treinamento de força. Ou seja, você deve realizar uma das sessões da atividade cardiovascular tradicional – correr, nadar, andar de bicicleta, etc. – alternando períodos de alta intensidade com períodos de descanso. (Explicarei como criar um exercício intervalado eficaz no próximo capítulo.)

Se você ainda não faz exercícios

A MELHOR PARTE DO PROGRAMA DE Exercícios da Dieta do Abdômen é que você não precisa praticar nenhuma atividade física pelo menos nas duas primeiras

---

Condicione os músculos
Talvez você já tenha ouvido falar de "memória muscular": a maneira como o corpo aprende a realizar uma atividade física (como andar de bicicleta) e nunca mais a esquece. Então saiba que os músculos abdominais também têm memória. Se os mantiver firmes ao longo do dia, eles tenderão a permanecer retesados mesmo quando você estiver relaxado.

Faça o exercício antes
As pesquisas indicam que a melhor maneira de comer menos é fazer exercícios imediatamente antes da refeição. Há três explicações para isso. Primeiro, o apetite é menor quando o metabolismo está acelerado, como acontece logo após um exercício. Segundo, a sede aumenta, por isso você bebe mais água, que ocupa espaço no estômago e diminui a fome. Terceiro, com o metabolismo acelerado, as calorias ingeridas são queimadas imediatamente como energia em vez de serem armazenadas como gordura.

semanas. Se não estiver fazendo nada neste momento, não é fundamental que comece imediatamente. Em vez disso, quero que se concentre em habituar seu corpo e seus horários a esta dieta.

Por outro lado, por que esperar para acionar os mecanismos de queima de gordura? Caso deseje iniciar um programa leve de treinamento de força, faça o seguinte exercício três vezes por semana: alterne três séries de flexões com três séries de agachamento, mas sem pesos. Esses dois tipos de exercícios usam o peso corporal como resistência. Com isso, você começará a se adaptar a um programa de treinamento de força. Faça 8 a 10 repetições de flexões, seguidas de 15 a 20 repetições de agachamentos. Quando esse esquema se tornar muito fácil, aumente as repetições das flexões e, enquanto faz os agachamentos, segure algum tipo de peso – os halteres são os melhores. Esse exercício leve, sobretudo se combinado com 30 minutos de caminhada vigorosa, acionará seus queimadores de gordura.

Se você já tem o hábito de se exercitar

TALVEZ VOCÊ FAÇA MUSCULAÇÃO uma ou duas vezes por semana. Talvez corra por alguns quilômetros todas as manhãs. Não sei. Mas tenho certeza de que, independentemente do tipo de atividade física que você pratica, é bem provável que desenvolva mais músculos e queime mais gordura se adotar o Programa de Exercícios da Dieta do Abdômen.

Mesmo que sua atual atividade física esteja sendo satisfatória, os especialistas concordam que misturar os exercícios cerca de uma vez por mês é a melhor maneira de maximizar os resultados. Isso acontece porque o corpo adquire força e condicionamento físico de uma forma geral quando é submetido ao desafio de executar determinados esforços a que não está acostumado. Repetir o mesmo exercício muitas vezes não o treina para alcançar o potencial máximo, mas apenas para ser bom naquele exercício. Por esse motivo, quero que você considere a substituição da sua atividade física atual pelo Programa de Exercícios da Dieta do Abdômen, ao menos por algumas semanas. Garanto que os efeitos serão incríveis.

Esquema semanal sugerido para o Programa de Exercícios da Dieta do Abdômen

VOCÊ PODE MISTURAR E COMBINAR os diferentes exercícios para atender as necessidades do seu estilo de vida. Ao montar a programação, considere o seguinte:

- Faça um intervalo de pelo menos 48 horas entre os exercícios com peso que trabalham as mesmas partes do corpo. Os músculos precisam desse tempo de recuperação.
- Tire um dia por semana para descansar, sem praticar nenhuma atividade física formal.
- Antes de começar a se exercitar, faça um aquecimento por cinco minutos. Algumas opções são: correr moderadamente, pedalar em uma bicicleta ergométrica, pular corda ou fazer polichinelos.

Os três componentes da sua programação semanal incluem:

1. TREINAMENTO DE FORÇA. Três vezes por semana. São os exercícios para todo o corpo, com ênfase nas pernas.

2. EXERCÍCIO CARDIOVASCULAR ADICIONAL. Opcional nos dias em que não houver treinamento de força. Exemplos: andar de bicicleta, correr, nadar e caminhar. Um exercício cardiovascular leve, como andar, é indicado para dois dos seus três dias de folga do treinamento de força. Uma sessão de exercícios intervalados é recomendada uma vez por semana.

3. EXERCÍCIOS PARA O ABDÔMEN. Três vezes por semana. Sugiro fazê-los antes do treinamento de força e da sessão de exercícios intervalados (ver mais informações sobre estes exercícios no capítulo 12).

| CAPÍTULO 11 |

O Programa de Exercícios da Dieta do Abdômen

OS EXERCÍCIOS MAIS FÁCEIS E MAIS EFICAZES

VOCÊ ENCONTRA PESSOAS DE TODOS OS tipos nas academias. A mulher gordinha. O cara sem pescoço. A adolescente roliça. O garotão barrigudo. E parece que todos chegam lá por caminhos diferentes. As teorias em relação aos exercícios são as mais diferentes possíveis. Mas eu sei quem posso realmente ajudar: é aquela pessoa com excesso de peso que exercita os músculos dos antebraços em um canto. Ela é como o sujeito que destruiu totalmente o carro, mas primeiro quer consertar o rádio. Não há sentido em trabalhar os pontos secundários antes de cuidar das questões mais importantes.

Foi por isso que desenvolvi um programa de treinamento de força que envolve o corpo todo, para aumentar sua massa muscular da maneira mais eficiente possível. Se você quer exibir os abdominais, precisa livrar-se da gordura. Para isso, tem que desenvolver os músculos. Lembre que adquirir cerca de 500g de músculos forçará seu corpo a queimar aproximadamente 50 calorias por dia, todos os dias.

O Programa de Exercícios prioriza os grandes grupos musculares – no peito, nas costas e nas pernas. Em uma sessão durante a semana, você dispensará atenção extra às pernas. Sei no que está pensando: "Meus abdominais estão aqui em cima, por que devo me importar com o que fica lá embaixo?" Porque a maior parte dos músculos se localiza abaixo do umbigo. A região inferior do corpo é aquela em que você desenvolverá o máximo de músculos no mínimo de tempo. O trabalho com essa enorme massa muscular aciona a liberação de grandes quantidades do hormônio do crescimento, o que por sua vez estimula o desenvolvimento muscular geral, acelera os mecanismos de queima de gordura e esculpe a barriga de tanquinho que você tanto quer – e rapidamente.

Isso não significa, no entanto, que você deve abandonar por completo a região superior do corpo. Os exercícios nessa área vão incluir os grandes músculos no peito, nas costas e nos ombros para que haja uma queima maior de gordura. Se você seguir o Programa, notará mais desenvolvimento e definição muscular de um modo geral, inclusive nos antebraços, ombros e até nos abdominais. Em suma, vai começar a remodelar suas formas.

Além disso, fará o treinamento de circuito para aproveitar ao máximo o potencial de desenvolvimento muscular. Ou seja, você realizará uma série de exercícios e depois passará direto para a outra, com apenas 30 segundos de descanso. Siga a ordem dos exercícios que relaciono nas páginas seguintes. Isso lhe permitirá trabalhar diferentes partes do corpo à medida que troca de série. (A partir da página 152, apresento descrições dos exercícios ilustradas com fotos.) O treinamento de circuito funciona muito bem porque, alternando os grupos musculares, você poupa tempo ao reduzir a quantidade de repouso de que precisa entre as séries. Mais importante, a freqüência cardíaca permanece elevada durante toda a sessão. Isso o fará queimar ainda mais gordura enquanto se exercita tanto na academia quanto em casa.

Nas duas primeiras semanas do Programa, faça o circuito duas vezes. Passe de uma série para a outra com apenas 30 segundos de intervalo, no máximo. Ao completar o primeiro circuito, descanse por um a dois minutos, depois complete o segundo. No fim das duas primeiras semanas, quando estiver realizando os dois circuitos com facilidade, comece a fazer três circuitos por sessão. Em cada exercício, use uma carga que você consiga agüentar sem dificuldade pelo número indicado de repetições. Quando isso se tornar muito fácil, aumente a carga em cada série em 10% ou menos. Aqui está uma amostra simples de como organizar as sessões.

SEGUNDA-FEIRA:

Sessão de treinamento de força de todo o corpo, com ênfase nos abdominais

Complete uma série de cada exercício abdominal,*
depois faça o restante do circuito duas vezes.

EXERCÍCIO	REPETIÇÕES	DESCANSO	SÉRIES
Abdominal convencional*	12-15	nenhum	1
Levantamento dos joelhos com as pernas flexionadas*	12-15	nenhum	1
Flexão lateral do tronco, deitado*	10 de cada lado	nenhum	1

EXERCÍCIO	REPETIÇÕES	DESCANSO	SÉRIES
Ponte*	1 ou 2	nenhum	1
Extensão da região lombar*	12-15	nenhum	1
Agachamento	10-12	30 segundos	2
Supino reto	10	30 segundos	2
Puxada pela frente na polia alta	10	30 segundos	2
Desenvolvimento	10	30 segundos	2
Remada alta	10	30 segundos	2
Rosca tríceps na polia alta	10-12	30 segundos	2
Extensão das pernas	10-12	30 segundos	2
Rosca direta	10	30 segundos	2
Flexão simultânea das pernas	10-12	30 segundos	2

TERÇA-FEIRA (OPCIONAL):

Exercício cardiovascular leve, como andar

(Tente fazer 30 minutos em um ritmo vigoroso.)

QUARTA-FEIRA:

Sessão de treinamento de força de todo o corpo, com ênfase nos abdominais

Complete uma série de cada exercício abdominal* uma vez, depois faça o restante do circuito duas vezes.

EXERCÍCIO	REPETIÇÕES	DESCANSO	SÉRIES
Abdominal de pé*	12-15	nenhum	1
Impulso da região lombar*	12	nenhum	1
Flexão lateral do tronco, de pé*	6-10 cada lado	nenhum	1
Ponte lateral*	1 ou 2 cada lado	nenhum	1
Extensão da região lombar*	12-15	nenhum	1
Agachamento	10-12	30 segundos	2
Supino reto	10	30 segundos	2
Puxada pela frente na polia alta	10	30 segundos	2
Desenvolvimento	10	30 segundos	2
Remada alta	10	30 segundos	2
Rosca tríceps na polia alta	10-12	30 segundos	2
Extensão das pernas	10-12	30 segundos	2
Rosca direta	10	30 segundos	2
Flexão simultânea das pernas	10-12	30 segundos	2

QUINTA-FEIRA (OPCIONAL):

Exercício cardiovascular leve, como andar

(Tente fazer de 30 a 45 minutos em um ritmo vigoroso.)

SEXTA-FEIRA:

Sessão de treinamento de força de todo o corpo, com ênfase nas pernas

Repita todo o circuito duas vezes.

EXERCÍCIO	REPETIÇÕES	DESCANSO	SÉRIES
Agachamento	10-12	30 segundos	2
Supino reto	10-12	30 segundos	2
Puxada pela frente na polia alta	10	30 segundos	2
Agachamento a fundo	10-12 cada perna	30 segundos	2
Desenvolvimento	10	30 segundos	2
Remada alta	10	30 segundos	2
Step	10-12 cada perna	30 segundos	2
Rosca tríceps na polia alta	10-12	30 segundos	2
Extensão das pernas	10-12	30 segundos	2
Rosca direta	10	30 segundos	2
Flexão simultânea das pernas	10-12	30 segundos	2

SÁBADO (OPCIONAL):

Exercícios abdominais mais exercício intervalado

Complete uma série de cada exercício abdominal, depois escolha um exercício intervalado nas seleções apresentadas nas páginas 174-176.

EXERCÍCIO	REPETIÇÕES	DESCANSO	SÉRIES
Abdominal convencional	12-15	nenhum	1
Levantamento dos joelhos com as pernas flexionadas	12	nenhum	1
Flexão lateral do tronco, deitado	6-10 cada lado	nenhum	1
Ponte	1-2	nenhum	1
Extensão da região lombar	12-15	nenhum	1

DOMINGO: DIA DE FOLGA

A eficiência dos halteres

Quando se trata de versatilidade, facilidade de uso e resultados, nenhum equipamento é tão eficaz no desenvolvimento muscular quanto os halteres. Em termos práticos, são baratos, virtualmente indestrutíveis e bastante compactos para serem guardados sem problema, caso você se exercite em casa. (Experimente colocar debaixo da cama um daqueles aparelhos para abdominais que são anunciados na televisão!) Mas essa é apenas a parte óbvia. Conheça agora os oito motivos pelos quais as pessoas inteligentes têm halteres em casa:

1. Proporcionam um exercício mais completo. Você pode pensar que os halteres servem apenas para trabalhar os bíceps, mas eles também são eficazes para exercitar os músculos das pernas, das costas e da região abdominal.

2. Exigem muito mais dos músculos. Um dos maiores desafios para quem se exercita com pesos é um fenômeno chamado platô. Quando o corpo se acostuma a determinado exercício, não há mais desafio, e os músculos param de crescer. Como existem centenas de exercícios diferentes que você pode fazer com halteres, procure sempre substituí-los para que os músculos continuem tendo que se esforçar e se mantenham em crescimento. Por exemplo, os halteres possibilitam 15 ou 20 variações da rosca direta, enquanto a barra com anilhas nas extremidades oferece poucas opções e um aparelho apenas uma ou duas.

3. Desenvolvem mais força. Como permitem uma variedade maior de movimentos, os halteres exigem mais esforço dos músculos do que qualquer outro equipamento. Por exemplo, uma barra com anilhas nas extremidades torna-se um recurso limitado durante um supino reto, porque você só consegue baixá-la até à altura do peito. No entanto, quando usa halteres, um em cada mão, pode abaixar os braços ainda mais em cada repetição, movimentando mais fibras musculares e estimulando o desenvolvimento da musculatura.

4. Desenvolvem a força mais depressa. O treinamento de resistência negativa refere-se à tensão que é imposta ao músculo durante a fase de baixar (negativa, ou excêntrica) de um exercício. E essa resistência pode fazê-lo se desenvolver de uma forma ainda mais eficaz do que a fase de levantar (positiva, ou concêntrica) do exercício. Os halteres acrescentam uma resistência negativa extra aos movimentos. Digamos que você tenha completado 10 roscas diretas com a mão esquerda e não consegue levantar o peso mais uma vez. Então pode trapacear, usando a mão direita para ajudar a esquerda a erguer o haltere novamente e baixá-lo apenas com a mão esquerda. Um recurso lhe permite aproveitar esse último benefício do exercício.

5. Contribuem para a saúde do coração. Muitos estudos têm demonstrado que o treinamento com pesos reduz a pressão arterial e fortalece indiretamente o coração. Pesquisas recentes comprovam que exercícios com halteres podem promover benefícios adicionais, como uma taxa mais baixa de lipídios (que corresponde a uma obstrução menor nas artérias) e mais absorção de oxigênio. Os halteres proporcionam resultados melhores nesse tipo de ginástica interna do corpo do que outros tipos de treinamento com pesos, porque permitem uma abrangência maior de movimentos.

6. Mantêm o corpo em equilíbrio. Ao forçar cada braço a levantar sua própria quantidade de peso, os halteres ajudam a identificar desequilíbrios de força que podem ter se desenvolvido em decorrência da prática de esportes, de atos simples como dirigir ou carregar uma pasta e até da prática de exercícios em aparelhos ou com outros equipamentos. Quando ergue uma barra com anilhas acima da cabeça, por exemplo, você pode compensar uma eventual fraqueza no braço esquerdo fazendo mais força com o braço direito – e com isso agrava o desequilíbrio. Ao executar esse movimento com halteres, no entanto, cada lado do corpo trabalha de forma independente e ambos realizam a mesma quantidade de esforço.

7. Ajudam a prevenir as lesões. Os aparelhos de exercício são regulados para visar um músculo exclusivamente e maximizar seu crescimento. Mas, em um nível prático, é importante fortalecer os pequenos músculos, ligamentos e tendões que ajudam a estabilizar as articulações. Os aparelhos podem desprezar essas áreas, o que aumenta o risco de lesões. Os halteres, por outro lado, fortalecem todo o corpo, protegendo-o desses problemas.

Exercícios básicos

AGACHAMENTO

Com as palmas das mãos viradas para a frente, segure uma barra com anilhas e apóie-a de maneira confortável na parte superior das costas. Afaste os pés na largura dos ombros, flexione ligeiramente os joelhos, mantenha as costas eretas e os olhos fixos em um ponto à frente. Abaixe o corpo devagar como se estivesse se sentando em uma cadeira. As costas devem permanecer no alinhamento natural e a parte inferior das pernas perpendicular ao chão. Pare quando as coxas estiverem paralelas ao chão e volte à posição inicial.

VARIAÇÃO EM CASA: *Faça o mesmo exercício, mas com um haltere em cada mão e as palmas viradas para a parte externa das coxas.*

SUPINO RETO

Deite-se de costas em um banco plano, os pés no chão. Segure a barra com anilhas, mantendo as palmas das mãos viradas para a frente e afastadas um pouco além da largura dos ombros. Levante a barra por cima do peito, na vertical, estendendo completamente os braços. Lentamente, abaixe-a até o peito. Faça uma pausa e leve-a de volta à posição inicial.

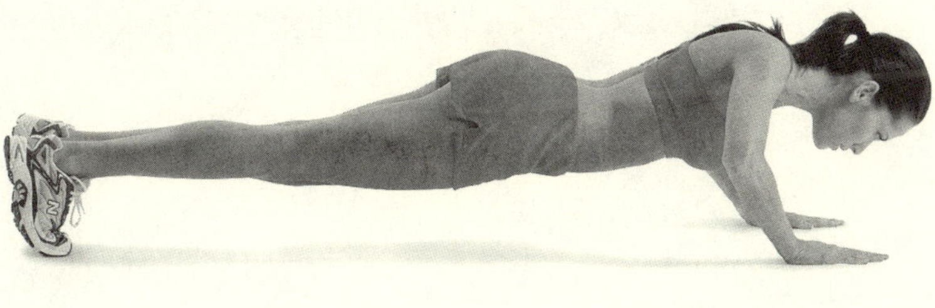

VARIAÇÃO EM CASA: *Faça o exercício convencional de flexão. Assuma a posição para a flexão, as mãos afastadas na largura dos ombros. Mantendo as costas esticadas, dobre os cotovelos até que o queixo quase encoste no chão. Depois torne a subir.*

PUXADA PELA FRENTE NA POLIA ALTA

De pé diante do aparelho, levante os braços e segure a barra com as anilhas, mantendo as palmas das mãos viradas para a frente. O afastamento entre as mãos deve ser 10 a 15cm maior do que a largura dos ombros. Sente-se no banco, deixando que a resistência da barra estenda os braços acima da cabeça. Puxe a barra para baixo até à parte superior do peito. Sustente essa posição por um segundo e depois volte à posição inicial.

VARIAÇÃO EM CASA: *De pé, com os joelhos ligeiramente flexionados e as pernas afastadas na largura dos ombros, incline-se posicionando as costas quase paralelas ao chão. Segure um haltere em cada mão, deixando os braços penderem para o chão. Com as palmas das mãos viradas para dentro, levante os halteres na sua direção até encostarem no peito. Faça uma pausa e volte à posição inicial.*

DESENVOLVIMENTO

Sente-se em um banco e segure a barra com as anilhas na altura dos ombros, as mãos afastadas na largura dos ombros. Levante a barra em linha reta acima da cabeça, deixando os braços quase que plenamente estendidos. Sustente essa posição por um segundo e depois abaixe a barra de novo pela frente até os ombros. Repita.

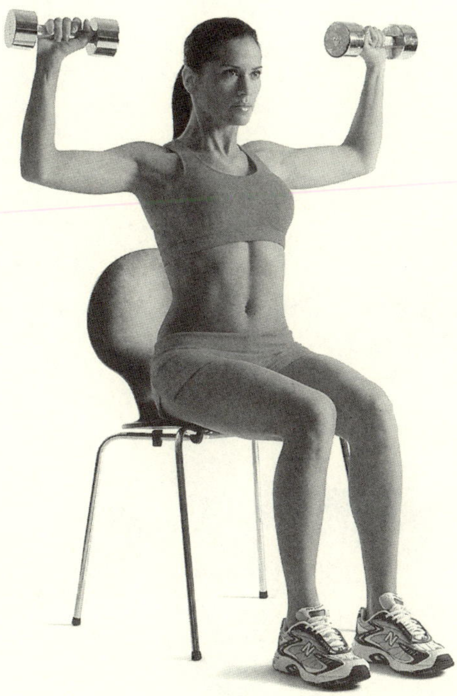

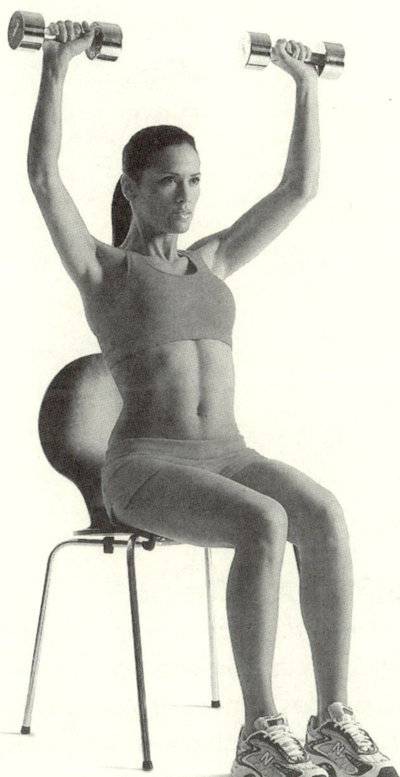

VARIAÇÃO EM CASA: *Sente-se em uma cadeira firme, e não em um banco, e levante um haltere em cada mão, mais ou menos na altura das orelhas. Erga-os em linha reta, de modo que os braços fiquem quase completamente estendidos. Sustente essa posição por um segundo e depois volte à posição inicial. Repita.*

REMADA ALTA

Segure uma barra com anilhas, mantendo as palmas das mãos viradas para baixo, os pés afastados na largura dos ombros, os joelhos ligeiramente flexionados. Com os braços estendidos, deixe a barra pender na altura das coxas, mantendo os polegares virados um para o outro. Flexione os cotovelos, levante a parte superior dos braços para os lados e puxe a barra em linha reta até que a parte superior dos braços esteja paralela ao chão e a barra posicionada logo abaixo do nível do queixo. Faça uma pausa e volte à posição inicial.

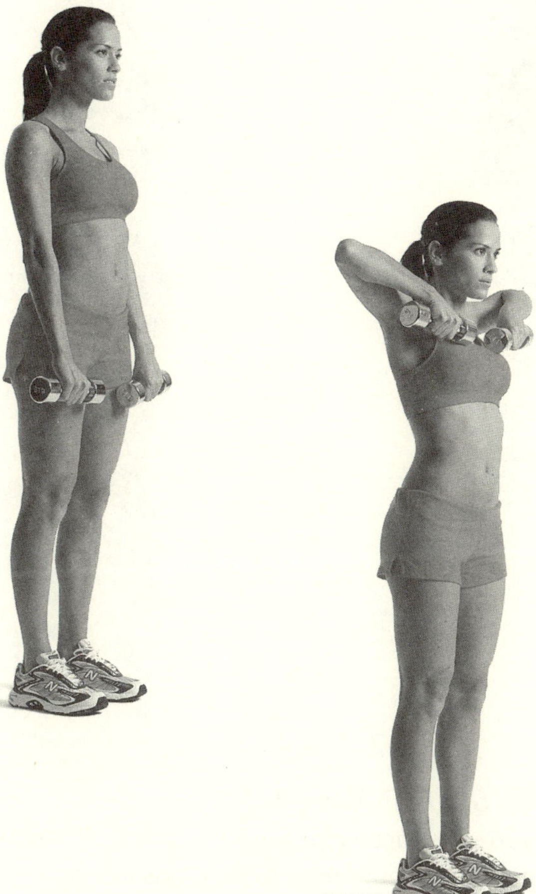

VARIAÇÃO EM CASA: *Faça o mesmo exercício usando um haltere em cada mão.*

ROSCA TRÍCEPS NA POLIA ALTA

De pé, segure a barra de tração mantendo as mãos afastadas por cerca de 15cm. Posicione firmemente os cotovelos nas laterais do corpo e puxe a barra para baixo até que ela esteja diretamente na sua frente. Com os antebraços paralelos ao chão (posição inicial), empurre a barra para baixo até que os braços fiquem estendidos e a barra posicionada próximo às coxas. Volte à posição inicial.

VARIAÇÃO EM CASA: *De pé, com os joelhos ligeiramente flexionados e afastados na largura dos ombros, dobre o corpo até que as costas fiquem quase paralelas ao chão. Assuma a posição inicial flexionando os cotovelos em um ângulo de 90º e levantando-os um pouco acima do nível das costas. Em seguida, estenda completamente os antebraços para trás, de modo que fiquem paralelos ao chão, mantendo imóvel a parte superior dos braços. Faça uma pausa e volte à posição inicial.*

EXTENSÃO DAS PERNAS

Sente-se na cadeira extensora encaixando os pés por baixo dos suportes acolchoados. Incline-se ligeiramente para trás e levante os suportes com os pés até que as pernas fiquem estendidas.

VARIAÇÃO EM CASA: *Agachamento contra a parede. De pé, encostado em uma parede, agache-se até que as coxas fiquem paralelas ao chão. Mantenha-se assim pelo tempo que conseguir. Faça o exercício apenas uma vez. Tente sustentar essa posição inicialmente por 20 segundos e vá aumentando até chegar a 45 segundos.*

ROSCA DIRETA

De pé, segure à sua frente uma barra com anilhas, mantendo as palmas das mãos viradas para fora e afastadas na largura dos ombros, os braços pendendo à frente. Levante a barra até os ombros, sustente por um segundo e volte à posição inicial.

VARIAÇÃO EM CASA: *Faça o mesmo exercício, mas usando dois halteres.*

FLEXÃO SIMULTÂNEA DAS PERNAS

Deite-se de barriga para baixo no aparelho e passe os tornozelos por baixo dos suportes acolchoados. Mantendo o estômago e a pélvis encostados no banco, levante lentamente os pés na direção dos glúteos, suspendendo os suportes. Faça com que os pés quase encostem nos glúteos.
Volte à posição inicial.

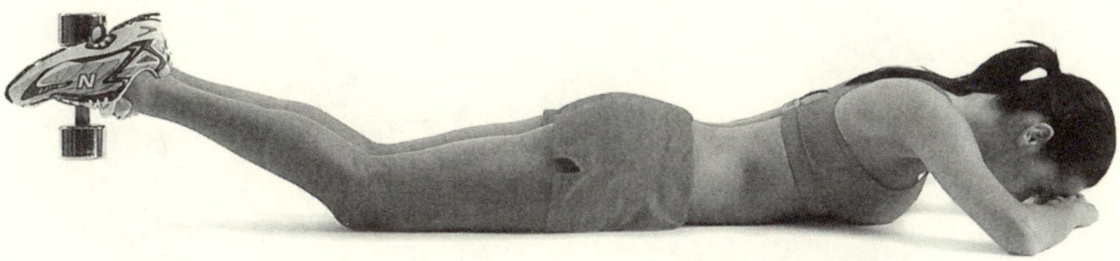

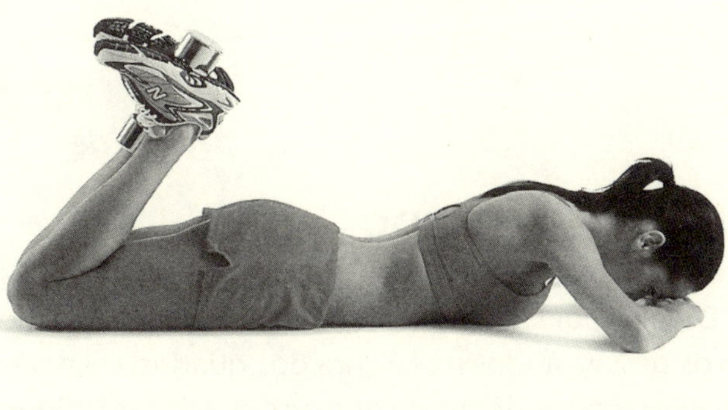

VARIAÇÃO EM CASA: *Deite-se de barriga para baixo no chão. Coloque um haltere leve entre os pés, de modo que uma das extremidades desse peso fique acima da planta dos pés. Junte bem os pés e levante-os na direção dos glúteos.*

AGACHAMENTO A FUNDO

Para realizar esse exercício, você precisará de espaço para dar cerca de 20 passos. De pé, apóie a barra com anilhas na parte superior das costas, mantendo os pés afastados na largura dos quadris. Leve o pé esquerdo à frente e abaixe o corpo, de modo que a coxa esquerda fique paralela ao chão e a coxa direita perpendicular ao chão (o joelho direito deve ser flexionado até quase encostar no chão). Levante-se e posicione o pé direito adiante do esquerdo, repetindo o movimento com a perna direita e seguindo em frente até completar os 20 passos.

VARIAÇÃO EM CASA: *Com um haltere em cada mão, estenda os braços ao lado do corpo. Se não tiver espaço suficiente, faça o exercício no mesmo lugar, alternando o pé que dará início ao movimento em cada passo.*

STEP

Use um step ou um banco com 45cm de altura. Posicione o pé esquerdo no step, flexionando o joelho em um ângulo de 90º, sem deixar que ele se projete além dos dedos do pé. Dê um impulso com o pé esquerdo e coloque o pé direito no step, mantendo as costas retas. Leve o pé esquerdo de volta ao chão e depois o direito. Alterne o pé com que dará início ao próximo movimento ou faça todas as repetições com um pé antes de passar para o outro. Depois que estiver fazendo o exercício com facilidade, acrescente halteres.

VARIAÇÃO EM CASA: *Faça o mesmo exercício. Se não tiver um step, utilize um degrau.*

Os exercícios intervalados

DIZEM QUE IR DEVAGAR E SEMPRE no mesmo ritmo é a garantia de vencer a corrida. Mas a chave cardiovascular para a queima de gordura é praticar os exercícios intervalados, aqueles que alternam níveis de alta intensidade com um esforço mais leve. Como mencionei antes, essa fórmula mantém o corpo queimando calorias por muito tempo, mesmo após o término da atividade física. Os exercícios intervalados imitam a atividade esportiva – têm movimentos de correr e parar com períodos de velocidade de *sprint* (máxima) ou quase *sprint* seguidos de um ritmo moderado e descanso.

Você pode usar os exercícios intervalados da maneira que quiser, ao correr, pedalar, nadar e até ao caminhar, alternando ritmos lentos com ritmos acelerados. Também pode variar os níveis de intensidade em diferentes combinações. Para começar, apresento três opções para orientá-lo. (Se você usa aparelhos de exercício, não opte pelas programações automáticas; estabeleça o programa manualmente, fixando os níveis de intensidade de acordo com o seu condicionamento físico. Isso lhe dará maior controle sobre as velocidades e o ajudará a queimar gordura mais depressa.) Até mesmo 20 minutos da prática desse tipo de atividade lhe proporcionarão benefícios. À medida que for adquirindo resistência e força, aumente o tempo da sua sessão de exercícios.

Variação intervalada I: padrão

A seguir, descrevo um exercício intervalado típico. Neste caso, o mesmo período de baixa intensidade é alternado com o mesmo período de maior intensidade. (Nível básico.)

3-5 minutos de aquecimento (corrida leve, baixa intensidade, aumentando pouco a pouco no final do período de aquecimento)

1 minuto de intensidade moderada ou alta, seguido por 1 minuto de baixa intensidade (repita 6-8 vezes)

3-5 minutos para esfriar (corrida leve, baixa intensidade, diminuindo pouco a pouco no final do período de desaceleração)

Variação intervalada II: pirâmide

Esta estrutura de pirâmide permite começar com breves explosões de velocidade e depois atingir o fluxo mais longo de energia no meio da sessão, antes de começar a diminuir o ritmo. (Nível intermediário a avançado.)

3-5 minutos de aquecimento

30 segundos de alta intensidade

1 minuto de baixa intensidade

45 segundos de alta intensidade

1 minuto de baixa intensidade

1 minuto de alta intensidade

1 minuto de baixa intensidade

90 segundos de alta intensidade

1 minuto de baixa intensidade

1minuto de alta intensidade

1 minuto de baixa intensidade

45 segundos de alta intensidade

1 minuto de baixa intensidade

30 segundos de alta intensidade

3-5 minutos para esfriar

Variação intervalada III: condicionamento esportivo

Os esportes são imprevisíveis. O exercício intervalado que apresento a seguir simula um pouco essa característica, usando tempos e intensidades diferentes. Você pode misturar e combinar as seqüências e repetições o quanto quiser. Descanse por mais tempo após os períodos em que usar mais energia. (Nível avançado.)

3-5 minutos de aquecimento

2 minutos de intensidade moderada ou alta, seguidos
por 2 minutos de baixa intensidade (repita uma vez)

30 segundos de alta intensidade, seguidos por 30 segundos
de baixa intensidade (repita quatro vezes)

sprints de 60 metros (ou 10 segundos, se não correr),
seguidos por 90 segundos de descanso (repita seis a dez vezes)

3-5 minutos para esfriar

| CAPÍTULO 12 |

A meta é o abdômen

EXERCÍCIOS PARA DESENVOLVER OS MÚSCULOS ABDOMINAIS

QUANDO EU ESTAVA NA UNIVERSIDADE, tive um amigo que dizia conhecer o segredo para uma barriga de tanquinho: "Basta fazer mil abdominais por dia durante um mês."

Ele dizia isso tão naturalmente que qualquer pessoa acreditava que, se ela fosse disciplinada o suficiente para se concentrar nos seus abdominais durante um período do dia, acabaria criando um abdômen de pedra. A teoria do meu amigo era a de que tudo se resumia a volume e disciplina. Ele acrescentava que o exercício abdominal faria mais do que desenvolver esses músculos – seria também uma solução para os problemas de peso, removendo sem dificuldade as conseqüências de anos de exageros com pizzas, carnes gordurosas e noitadas com muita cerveja.

Sob muitos aspectos, meu amigo estava errado. Para começar, os exercícios abdominais não queimam gordura. E ninguém desenvolve os músculos da barriga fazendo os mesmos exercícios muitas vezes, sobretudo se forem os mesmos exercícios todos os dias. E 1.000 repetições? Mas ele estava certo em um sentido: quem deseja que os abdominais o deixem mais forte, mais saudável e com melhor aparência tem que treinar para consegui-los. E isso exige disciplina – mas não tanto quanto você pode estar pensando.

Embora o abdômen funcione como um núcleo unificado, é mais fácil pensar nele como um centro dividido em regiões. Para desenvolver uma barriga de tanquinho, você precisa trabalhar toda essa área. As três regiões visíveis são os abdominais superiores, os abdominais inferiores e os oblíquos (os músculos nos segmentos laterais do abdômen). Mas há também diversos músculos secundários que acrescentam força aos abdominais quando são fortalecidos: os transversos e os da região lombar, que proporcionam a sustentação necessária.

Você já possui todos esses músculos, só precisa desenvolvê-los. É por isso que suas prioridades devem girar em torno dos dois primeiros componentes: os princípios da nutrição e os exercícios de queima de gordura. Depois que se livrar da gordura, os abdominais poderão crescer e aparecer. Ao contrário do que dizia meu amigo, não é necessário trabalhar esses músculos todos os dias para ter uma barriga de tanquinho. Em vez disso, siga as seguintes normas para acrescentar o componente final.

EXERCITE OS ABDOMINAIS DUAS OU TRÊS VEZES POR SEMANA. Os abdominais são como qualquer outro músculo no seu corpo. Crescerão quando estiverem em

Volte a se familiarizar com seus abdominais

Os músculos abdominais são muito parecidos com um grupo de funcionários eficientes. Quanto mais trabalham, mais contribuem para a sua aparência, e vice-versa.

Isso acontece porque eles são usados praticamente em todos os movimentos importantes. Levantar. Correr. Pular. Reproduzir. Portanto, quanto mais fortes forem, por mais tempo você poderá se manter em ação. Aqui está um curso rápido sobre a anatomia dos abdominais.

Rectus abdominis. É o conjunto de músculos abdominais que ajuda a parte superior do corpo a se flexionar. Também contribui para uma boa postura. É nisso que as pessoas pensam quando se fala em abdominais.

Oblíquos externos. Esses músculos começam nas costelas e se estendem em diagonal para baixo, pelos lados da cintura. Eles estão envolvidos em todos os movimentos da cintura. A rotação do tronco, que é fundamental em esportes como golfe, tênis e hóquei, é acima de tudo uma função dos oblíquos externos. Até mesmo o movimento básico de dobrar o corpo, que envolve o conjunto dos músculos abdominais, não seria possível sem uma contração forte dos oblíquos externos para estabilizar o tronco.

Oblíquos internos. Ficam entre a caixa torácica e os oblíquos externos. Também se estendem em diagonal pelos lados da cintura. Da mesma forma que os externos, os oblíquos internos participam da rotação do tronco. Você usa esses músculos quando respira fundo.

Abdominais transversos. Estendem-se de forma horizontal, envolvendo o abdômen. Também são conhecidos como "cinta", porque funcionam como um compressor para o abdômen, mantendo tudo no lugar.

repouso, e não enquanto estiverem sendo submetidos a um esforço. Exercitá-los todos os dias não lhes proporciona uma chance de se tornarem mais fortes. Você vai desenvolvê-los se realizar os exercícios localizados duas ou três vezes por semana. Recomendo que realize o circuito dos abdominais no início da sua sessão de atividade física. Se deixá-lo para o final, é mais provável que não faça todos os exercícios ou os execute de maneira imperfeita.

TRABALHE TODA A REGIÃO. Há cinco regiões de abdominais a serem exercitadas. Em cada sessão, escolha um exercício por região e assim garanta o trabalho em todas as áreas.

EXECUTE EXERCÍCIOS DIFERENTES. Apresento mais de 50 exercícios para os abdominais, mas você só precisa escolher cinco deles em cada sessão. O importante é a variedade: mudar a rotina impede que os músculos se acomodem. Assim, continuarão a se desenvolver após cada exercício.

FAÇA UM CIRCUITO. Na primeira semana de atividade física, faça apenas uma série de cada exercício (10 a 15 repetições, dependendo do exercício). Na segunda e terceira semanas, realize duas séries, se quiser, mas em um circuito, a fim de executar cada exercício antes de repetir o outro. Depois disso, pode passar para três circuitos. Mesmo assim, o tempo gasto com os exercícios abdominais não deve ser superior a cinco minutos.

VÁ DEVAGAR. Cada repetição de um exercício abdominal deve durar de quatro a seis segundos. Se a fizer mais depressa, correrá o risco de deixar que o impulso se encarregue do trabalho. Quanto mais devagar, maior a intensidade. Quanto maior a intensidade, mais forte o abdômen.

Neste capítulo, eu apresento exercícios para que você nunca se sinta entediado e trabalhe os abdominais com o máximo de eficiência possível. Lembre que é essa parte da sessão de atividade física que fará os abdominais saltarem na sua pele. Pense nela como o cupom premiado no fundo da caixa de sabão em pó, como o cheque de pagamento no fim do mês, como a linha de chegada no fim da maratona. É a motivação. É a recompensa. É o objetivo que nenhuma balança jamais poderá mostrar.

Como fazer o exercício

ESCOLHA UM EXERCÍCIO DE CADA um dos grupos relacionados a seguir e execute-o nas repetições indicadas. Faça uma série de cada exercício e depois repita o circuito.

Atenção: Muitos desses exercícios trabalham regiões diferentes dos abdominais durante o mesmo movimento, mas foram agrupados com base na área que é o alvo principal. Também estão relacionados por níveis de dificuldade para que você possa mudá-los à medida que se torna mais forte. Em cada exercício, faça uma pausa no fim do movimento e volte à posição inicial. Isso conta como uma repetição, a menos que seja indicado de outra forma.

O circuito dos abdominais

Abdominais superiores

Abdominais inferiores

Oblíquos

Transversos

Região lombar

Abdominais superiores

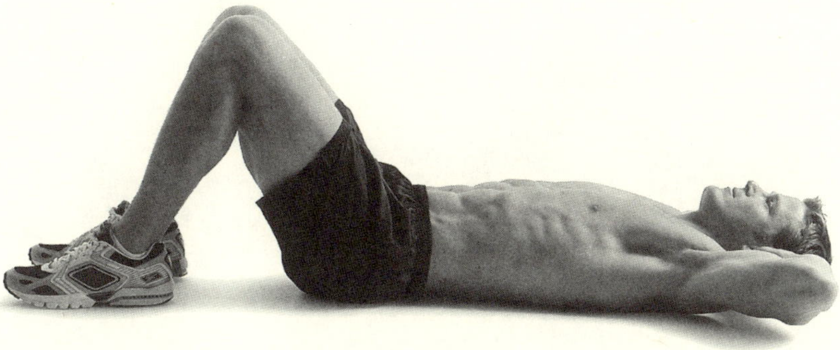

ABDOMINAL CONVENCIONAL

Deite-se de costas, os joelhos flexionados, as mãos na nuca. Erga o corpo lentamente, tirando os ombros do chão.

12-15 repetições *[Principiante]*

Abdominais superiores

ABDOMINAL COM OS PÉS LEVANTADOS

Deite-se de costas, joelhos flexionados, as mãos na nuca. Levante os pés do chão por alguns centímetros e mantenha-os assim. Faça a flexão do tronco e depois abaixe de volta para o chão, deixando os pés suspensos durante todo o movimento.

12-15 repetições *[Principiante a intermediário]*

Abdominais superiores

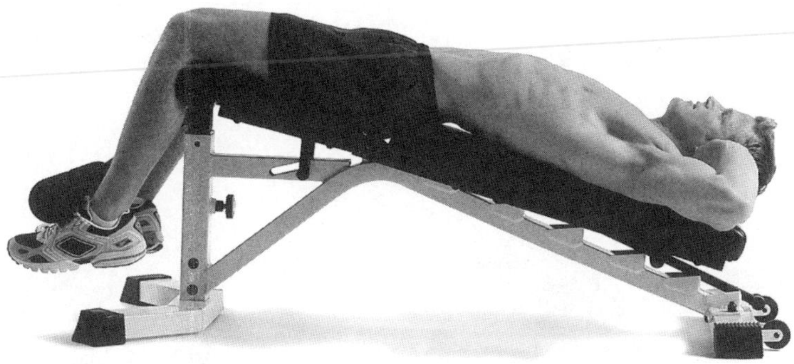

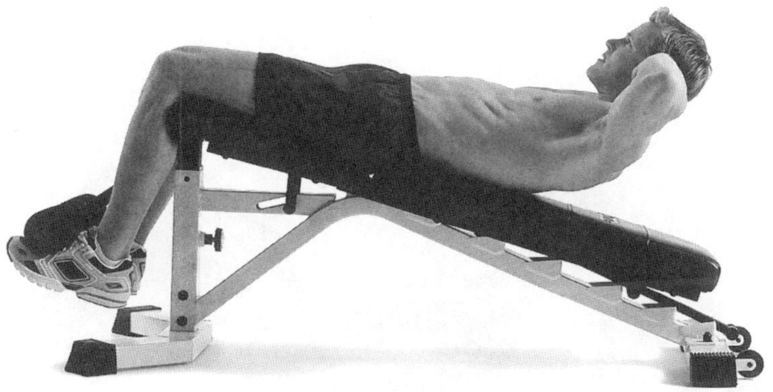

ABDOMINAL NO BANCO DECLINADO

Deite-se de costas em um banco declinado, encaixe os tornozelos sob o suporte acolchoado e posicione os dedos das mãos em concha na nuca. Levante os ombros do banco, mantendo estendida a parte inferior do corpo. Não dê o impulso com um movimento brusco. Sustente a contração por um segundo.

12-15 repetições *[Principiante a intermediário]*

Abdominais superiores

ABDOMINAL NA POLIA, DE COSTAS NO CHÃO

Prenda a corda no cabo da polia baixa. Deite-se no chão, a cabeça perto da polia, os joelhos flexionados, os pés plantados no chão. Mantenha as duas extremidades da corda sobre o peito, fazendo com que o encaixe na polia fique junto da nuca. Flexione o tórax na direção da pélvis, levantando os ombros do chão por alguns centímetros.

12-15 repetições *[Intermediário a avançado]*

Abdominais superiores

ABDOMINAL COM ANILHA

Deite-se de costas, os joelhos flexionados. Segure uma anilha ou um haltere sobre o peito e faça a flexão do tronco devagar, levantando os ombros do chão. Gradativamente, vá aumentando o peso da anilha ou do haltere.

12-15 repetições *[Intermediário a avançado]*

Abdominais superiores

ABDOMINAL COM HALTERES E BRAÇOS ESTENDIDOS

Deite-se de costas, os joelhos flexionados. Segure um haltere leve em cada mão e estenda os braços para trás. Levante o tórax na direção da pélvis sem dar impulso com os braços.

12-15 repetições *[Intermediário a avançado]*

Abdominais superiores

TOQUE NAS PONTAS DOS PÉS

Deite-se de costas, as pernas levantadas diretamente acima do quadril, os joelhos ligeiramente flexionados. Estenda os braços, apontando para as pontas dos pés e relaxe a cabeça e o pescoço. Use os abdominais superiores para erguer o tórax na direção da pélvis, levante os ombros do chão e estique as mãos na direção das pontas dos pés. Sustente essa posição por um segundo. Abaixe os ombros até encostá-los no chão e repita o exercício.

12-15 repetições *[Avançado]*

Abdominais superiores

ABDOMINAL SICILIANO

Encaixe os pés por baixo de dois halteres. Coloque uma toalha enrolada sob a região lombar e segure um haltere atravessado no peito. Erga a parte superior do corpo o máximo que conseguir, flexionando o tórax na direção da pélvis. No ponto mais alto do movimento, estique os braços e levante o haltere acima da cabeça. Mantendo o peso nessa posição, leve quatro segundos para baixar o corpo até o chão.

10 repetições *[Avançado]*

Abdominais inferiores

LEVANTAMENTO DOS JOELHOS COM AS PERNAS FLEXIONADAS

Deite-se de costas, a cabeça e o pescoço relaxados, as mãos no chão (perto dos glúteos), os pés plantados no chão. Use os músculos abdominais inferiores para erguer os joelhos na direção do tórax, depois abaixe os pés lentamente de volta à posição inicial. Repita quando os pés tocarem de leve no chão.
12 repetições *[Principiante]*

Abdominais inferiores

IMPULSO DA REGIÃO LOMBAR

Deite-se de costas, as mãos por baixo do cóccix, as pernas levantadas e apontadas para o teto, perpendiculares ao tronco. Contraia o umbigo e flexione os glúteos, levantando o quadril alguns centímetros do chão. Depois, abaixe o quadril.

12 repetições *[Principiante]*

Abdominais inferiores

LEVANTAMENTO DOS JOELHOS NA BARRA FIXA

Pendure-se em uma barra fixa, as palmas das mãos viradas para fora e um pouco mais afastadas do que a largura dos ombros. (Os pés podem tocar de leve no chão.) Levante os joelhos na direção do peito, contraindo a pélvis para cima no final. Quando for capaz de fazer 12 repetições, aumente o grau de dificuldade, mantendo as pernas esticadas em vez de flexionadas ou encaixando uma medicine ball entre os joelhos.

12 repetições *[Principiante a intermediário]*

Abdominais inferiores

ABDOMINAL SENTADO

Sente-se na beirada de uma cadeira ou de um banco estável. Posicione as mãos na frente dos glúteos e segure os lados do assento. Incline-se ligeiramente para trás e estenda as pernas para baixo e para a frente, mantendo os calcanhares a uma distância de 10 a 15cm do chão. Para começar o exercício, flexione os joelhos e levante lentamente as pernas na direção do peito. Ao mesmo tempo, incline a parte superior do corpo para a frente, fazendo com que o peito se aproxime das coxas.

12 repetições *[Principiante a intermediário]*

Abdominais inferiores

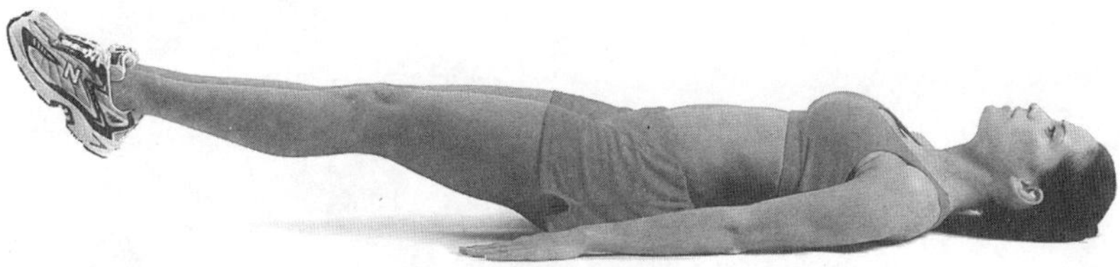

LEVANTAMENTO DOS JOELHOS NA DIREÇÃO DO PEITO

Deite-se de costas, os braços estendidos ao lado do corpo, as palmas das mãos viradas para o chão, perto dos glúteos. Pressione a região lombar contra o chão e estenda as pernas para a frente, com os calcanhares a cerca de 7cm acima do chão. Mantendo a região lombar encostada no chão, levante o joelho esquerdo na direção do peito. A perna direita deve permanecer estendida sem tocar o chão. Sustente essa posição e depois estique a perna esquerda até à posição inicial. Repita com a perna direita. Mantenha os abdominais contraídos durante o exercício.

8-12 repetições em cada lado *[Intermediário]*

Abdominais inferiores

ABDOMINAL DO OITO

Deite-se de costas, os joelhos flexionados em um ângulo de 90º, os pés plantados no chão. Comprima uma medicine ball leve entre os joelhos. Posicione as mãos em concha levemente na nuca e levante devagar a cabeça, os ombros e os pés do chão. Movimente os joelhos em forma de oito. Faça três repetições em uma direção, depois inverta o movimento e execute mais três repetições.

6 repetições *[Intermediário]*

Abdominais inferiores

TESOURA

Deite-se de costas, as penas estendidas, os pés cerca de 30cm acima do chão. Faça o movimento de uma tesoura, passando uma perna por cima da outra.

20 repetições *[Intermediário]*

Abdominais inferiores

LEVANTAMENTO DOS JOELHOS NA BOLA SUÍÇA (FITBALL)

Deite-se sobre uma bola suíça, o rosto virado para cima, o quadril mais baixo do que os ombros. Incline-se para trás e segure algo firme, que não saia do lugar, como um banco ou uma mesa. Levante as pernas flexionadas, de modo que os pés fiquem fora do chão e as partes inferiores das pernas apontem para a frente. (Para aumentar o grau de dificuldade, mantenha as pernas esticadas.) Faça um exercício-padrão de levantamento dos joelhos com as pernas flexionadas (ver página 189) usando os abdominais e o quadril para levar os joelhos na direção do peito.

12 repetições *[Intermediário a avançado]*

Abdominais inferiores

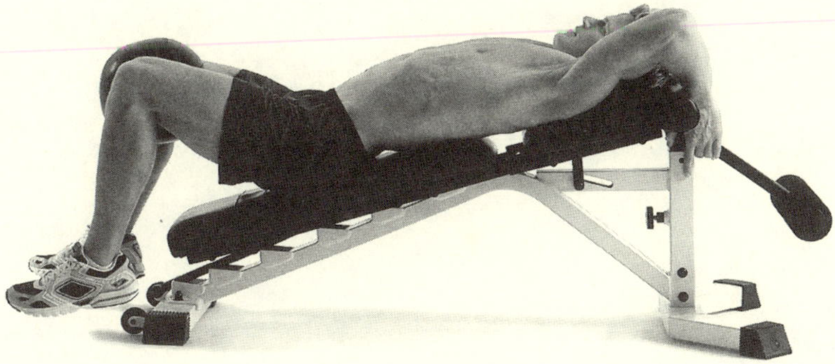

ABDOMINAL INVERSO COM MEDICINE BALL

Deite-se em uma prancha inclinada, o quadril mais baixo do que a cabeça. Segure a barra por trás da cabeça para ter apoio. Flexione o quadril e os joelhos em um ângulo de 90º, encaixando uma medicine ball entre os joelhos. Comece com os glúteos encostados na prancha. Erga o quadril levando-o na direção do tórax. Flexione-o o máximo que conseguir, sem tirar os ombros da prancha. Mantenha o quadril e os joelhos em um ângulo de 90º.

12 repetições *[Intermediário a avançado]*

Abdominais inferiores

FLEXÃO INVERSA DAS PERNAS

Deite-se de costas, os braços cruzados sobre o peito, as pernas estendidas, os pés fora do chão. Alternadamente, leve cada joelho na direção do tórax, depois empurre a perna com força para a frente. Não deixe que os pés toquem no chão. (Se sentir algum desconforto na região lombar, tente fazer o exercício com a cabeça levantada e o queixo inclinado na direção do peito.)
10 repetições de cada lado *[Intermediário a avançado]*

Oblíquos

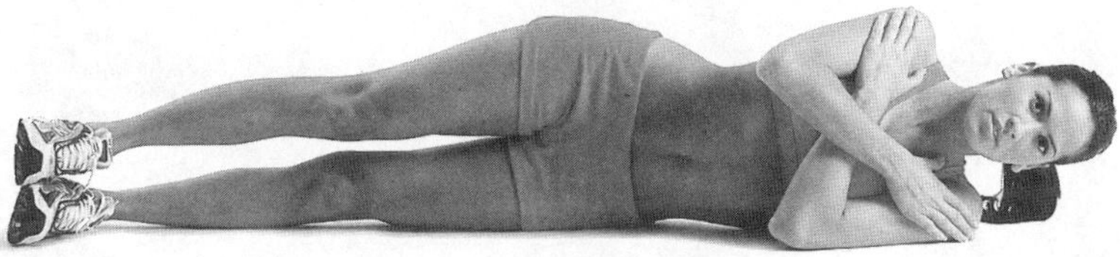

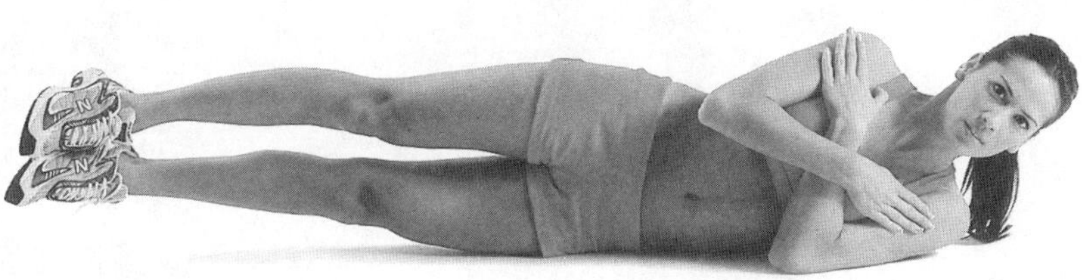

FLEXÃO LATERAL DO TRONCO, DEITADO

Deite-se de lado, o corpo em linha reta, os braços cruzados sobre o peito. Mantendo as pernas juntas, levante-as do chão ao mesmo tempo em que leva o cotovelo na direção do quadril. A extensão do movimento é curta, mas deve provocar uma intensa contração dos oblíquos.

10 repetições de cada lado *[Principiante]*

Oblíquos

FLEXÃO LATERAL DO TRONCO, DE PÉ

Segure um par de halteres leves por cima da cabeça, alinhados com os ombros, mantendo os cotovelos ligeiramente flexionados. Com as costas retas, incline-se devagar para o lado esquerdo o máximo possível, sem girar a parte superior do corpo. Faça uma pausa, volte à posição inicial e repita o exercício curvando-se para a direita.

6-10 repetições em cada lado *[Principiante a intermediário]*

Oblíquos

ROTAÇÃO EM VELOCIDADE

De pé, segure um haltere com as duas mãos diante do abdômen. Faça um giro de 90º para a direita e depois de 180º para a esquerda. Mantenha os abdominais contraídos e execute os movimentos com rapidez. Alterne o lado com que dá início aos exercícios.

10 repetições de cada lado *[Intermediário]*

Oblíquos

FLEXÃO DIAGONAL DO TRONCO

De pé, segure um haltere com as duas mãos perto da orelha direita. Flexione os abdominais e gire o tronco para a esquerda ao mesmo tempo que estende os braços e baixa o haltere para o lado externo do joelho esquerdo. Leve o haltere de volta à posição inicial, conclua a série e repita no outro lado.
10 repetições de cada lado *[Intermediário]*

Oblíquos

ROTAÇÃO DO TRONCO COM MEDICINE BALL

Segure uma medicine ball ou uma bola de basquete à sua frente. Sente-se com os joelhos flexionados e os pés no chão. Gire rapidamente para a esquerda e posicione a bola atrás das suas costas. Vire-se pela direita e pegue a bola. Gire pela esquerda e recoloque a bola no lugar. Faça o mesmo número de repetições do giro para a esquerda e do giro para a direita.

10 repetições de cada lado *[Intermediário a avançado]*

Oblíquos

FLEXÃO LATERAL DO TRONCO, PERNAS ESTENDIDAS

Deite-se sobre o quadril esquerdo, as pernas quase retas e ligeiramente fora do chão. Erga também o tronco, mantendo o antebraço esquerdo no chão para dar apoio. Posicione a mão direita na nuca, com o cotovelo apontado na direção dos pés. Levante as pernas na direção do tronco, mantendo-o imóvel. Faça uma pausa para sentir a contração no lado direito da cintura. Abaixe as pernas lentamente. Complete a série nesse lado, depois passe para o quadril direito, fazendo o mesmo número de repetições.

10 repetições de cada lado *[Intermediário a avançado]*

Transversos

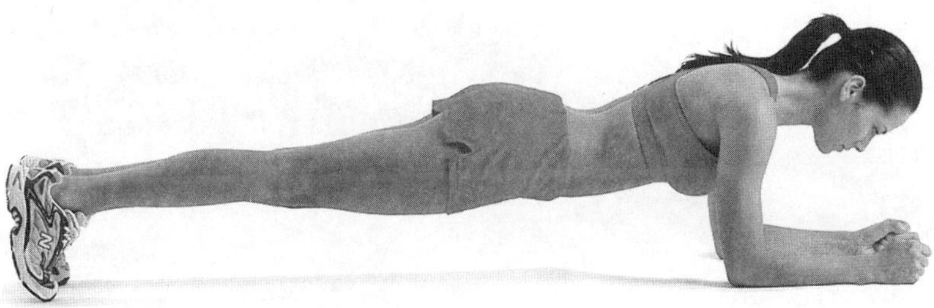

PONTE

Comece em uma posição de flexão, mas dobre os cotovelos e apóie o peso nos antebraços, e não nas mãos. O corpo deve formar uma linha reta dos ombros aos tornozelos. Contraia os abdominais – imagine que está tentando empurrar o umbigo na direção da coluna. Sustente essa posição por 20 segundos, com a respiração estável. Quando tiver adquirido resistência, você poderá fazer uma série de 60 segundos.

1-2 repetições *[Principiante a intermediário]*

Transversos

PONTE LATERAL

Deite-se no seu lado não dominante. Sustente o peso do corpo com o antebraço e a parte externa do pé. O corpo deve formar uma linha reta da cabeça aos tornozelos. Contraia os abdominais o máximo que puder e mantenha essa posição por 10 a 30 segundos, com a respiração estável. Relaxe. Se conseguir chegar a 30 segundos, repita o exercício. Caso contrário, tente qualquer combinação de repetições que some 30 segundos. Execute o exercício no outro lado.

1-2 repetições de cada lado *[Principiante a intermediário]*

Transversos

PONTE DE DOIS PONTOS

Assuma a posição de flexão. Erga o braço direito e a perna esquerda ao mesmo tempo. Mantenha-se assim por três a cinco segundos. Isso é uma repetição. Retorne à posição inicial e agora faça o exercício levantando o braço esquerdo e a perna direita.

6-10 repetições de cada lado *[Intermediário]*

Transversos

ABDOMINAL NEGATIVO

Sente-se com os joelhos flexionados, os pés plantados no chão e afastados na largura dos ombros. Estenda os braços com os dedos entrelaçados, as palmas das mãos viradas para os joelhos. Comece com a parte superior do corpo em um ângulo um pouco inferior a 90º em relação ao chão. Abaixe o corpo na direção do chão, curvando o tronco para a frente, arredondando a região lombar e mantendo os abdominais contraídos. Quando tiver alcançado um ângulo de 45º, retorne à posição inicial. (Atenção: talvez você precise encaixar os pés sob halteres para ajudar a manter o equilíbrio durante o exercício.)

10 repetições *[Intermediário]*

Transversos

PONTE COM BOLA SUÍÇA (FITBALL)

Apóie os antebraços na bola e as pontas dos pés no chão, com o corpo em linha reta. Contraia o abdômen, puxando o umbigo para a coluna. Sustente essa posição por 20 segundos, com a respiração estável. Quando tiver adquirido resistência, você poderá fazer uma série de 60 segundos.

1-2 repetições *[Intermediário a avançado]*

Transversos

FLEXÕES COM BOLA SUÍÇA (FITBALL)

Assuma a posição de flexão – as mãos um pouco mais afastadas do que a largura dos ombros, mas alinhadas com eles. Em vez de colocar os pés no chão, apóie a parte inferior das pernas na bola. Com os braços esticados e as costas na horizontal, o corpo deve estar em linha reta dos ombros aos tornozelos. Role a bola na direção do peito. Faça uma pausa e depois estenda as pernas para trás, rolando a bola e levando-a à posição inicial.

5-10 repetições *[Intermediário a avançado]*

Transversos

FLEXÃO DO TRONCO COM TOALHA

Ajoelhe-se em uma toalha ou em um tapete de banheiro sobre um piso de ladrilho ou de madeira. Coloque outra toalha no chão, à sua frente, e posicione as mãos em cima dela. Deslize-a pelo chão até o corpo ficar completamente estendido, dando a impressão de que está na posição de mergulho. Volte lentamente.

5-10 repetições *[Avançado]*

Transversos

ROLAGEM DO TRONCO PARA A FRENTE

Encaixe um par de anilhas de 2kg em uma barra. Ajoelhe-se em um colchonete de exercício ou em uma toalha, com os ombros diretamente por cima da barra. Segure-a com as palmas das mãos viradas para baixo e afastadas na largura dos ombros. Comece com as costas ligeiramente encurvadas para que possa estendê-las à medida que for executando o movimento. Role a barra para a frente, mantendo os joelhos no lugar enquanto o quadril, o tronco e os braços projetam-se para a frente. Com os braços sempre esticados, avance o máximo que puder sem arquear as costas e tocando o chão unicamente com os joelhos. Faça uma pausa de uma fração de segundo e volte à posição inicial.

5-10 repetições *[Avançado]*

Região lombar

EXTENSÃO DA REGIÃO LOMBAR

Em um aparelho de extensão da região lombar, encaixe os pés sob o suporte acolchoado. Mantenha os braços esticados à frente. O corpo deve formar uma linha reta das mãos ao quadril. Abaixe o tronco, curvando a região lombar até uma posição quase perpendicular ao chão. Levante a parte superior do corpo até que ela fique um pouco mais do que paralela ao chão. Nesse ponto, as costas devem estar levemente arqueadas, com os ombros contraídos. Faça uma pausa de um segundo e depois repita o exercício.

12-15 repetições *[Principiante a intermediário]*

Região lombar

EXTENSÃO DO TRONCO COM ROTAÇÃO ALTERNADA

Em um aparelho de extensão da região lombar, encaixe os pés sob o suporte acolchoado. Posicione os dedos na nuca. Abaixe a parte superior do corpo, deixando que a parte inferior se curve até ficar quase perpendicular ao chão. Levante a parte superior do corpo e gire até que ela fique virada para a esquerda e um pouco acima de uma posição paralela ao chão. Faça uma pausa, abaixe o tronco e repita, agora com a flexão para a direita.

12-15 repetições *[Avançado]*

Região lombar

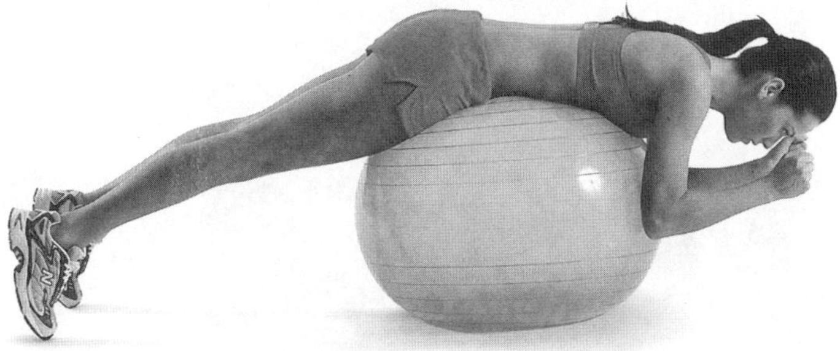

EXTENSÃO DA LOMBAR NA BOLA SUÍÇA (FITBALL)

Deite-se de barriga para baixo sobre uma bola suíça com o quadril comprimido contra a bola e o tronco curvado. Posicione os antebraços paralelos ao corpo e flexione os cotovelos em um ângulo de 90º, de modo que os dedos apontem para a frente e os cotovelos para trás. Lentamente, estique as costas até que o peito se afaste inteiramente da bola, estenda os braços para a frente e sustente essa posição. Puxe os braços para trás enquanto o tronco se curva de volta para a bola.

12-15 repetições *[Intermediário]*

Região lombar

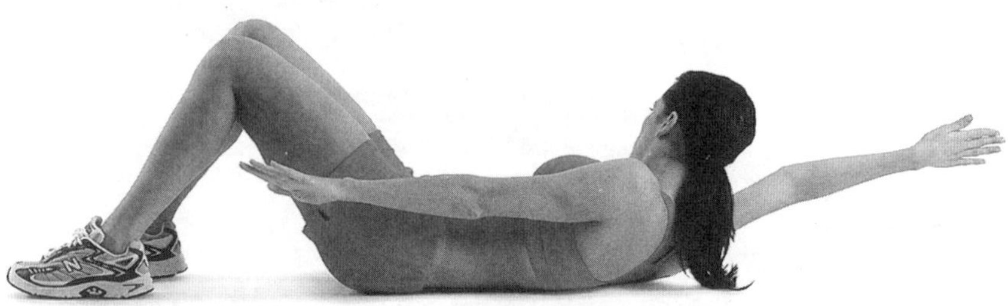

ROTAÇÃO ALTERNADA DO TRONCO

Deite-se de costas, os joelhos flexionados, os pés plantados no chão. Encoste a região lombar no chão. Flexione os abdominais, levando o tronco à frente e levantando os ombros o máximo que conseguir. Mantendo o peito elevado, dê uma braçada para trás, com um braço de cada vez, permitindo que o tronco vire na direção do braço que está sendo estendido para trás. Faça cinco repetições de 45 segundos cada uma, alternando os braços. Quanto mais alto você levantar o peito do chão, melhor será o exercício. Acrescente halteres leves quando o movimento se tornar muito fácil.

1-5 repetições *[Intermediário a avançado]*

Bonificação! Os 18 exercícios acima da cintura que poupam tempo!

Está querendo encurtar ainda mais a sua sessão de exercícios ao mesmo tempo que elimina a gordura da cintura? Os 18 exercícios restantes do Programa trabalham várias áreas do abdômen simultaneamente. Use qualquer uma das seguintes substituições para cobrir duas ou três delas com um único exercício. Assim, reduzirá a carga original de cinco exercícios.

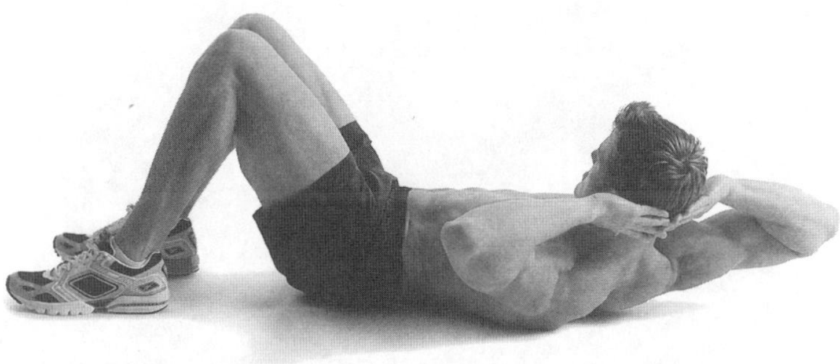

FLEXÃO DO TRONCO COM ROTAÇÃO LATERAL

Para os abdominais superiores e oblíquos

Deite-se de costas, os joelhos dobrados, as mãos na nuca. Flexione o tronco, afastando os ombros do chão. Gire a cintura para a esquerda, com a axila esquerda apontando para o quadril direito. Estique-se, depois gire para a direita.

8 repetições de cada lado *[Principiante]*

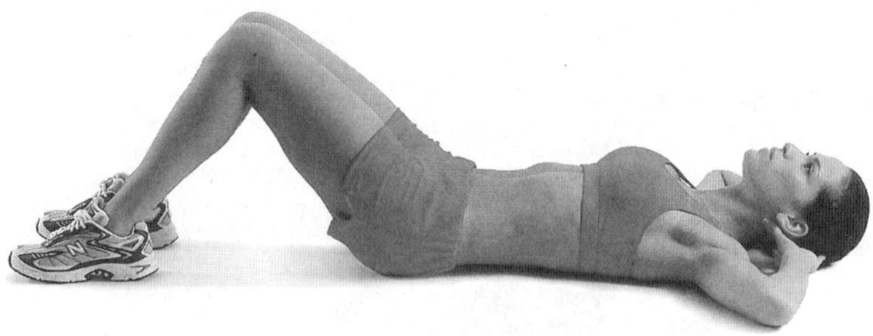

ABDOMINAL COM UM SÓ JOELHO APOIADO

Para os abdominais superiores e inferiores

Deite-se de costas, o quadril em um ângulo de 90º, os pés plantados no chão. Encoste os dedos na nuca, mantendo os cotovelos flexionados. Levante a cabeça, os ombros e os glúteos do chão ao mesmo tempo que leva o joelho esquerdo na direção do peito. Abaixe o tronco e a perna e depois repita o exercício – agora erguendo o joelho direito.

10 repetições de cada lado *[Principiante a intermediário]*

ABDOMINAL COM ROTAÇÃO E TORNOZELOS CRUZADOS

Para os abdominais superiores e os oblíquos

Deite-se de costas no chão, as mãos em concha na nuca, os cotovelos projetados para fora. Cruze os tornozelos com os joelhos ligeiramente flexionados. Levante as pernas até que as coxas estejam perpendiculares ao corpo. Erga o ombro direito do chão enquanto leva o cotovelo direito na direção do joelho esquerdo. Volte à posição inicial e repita, começando com o ombro esquerdo – agora levando o cotovelo esquerdo na direção do joelho direito.

8 repetições de cada lado *[Principiante a intermediário]*

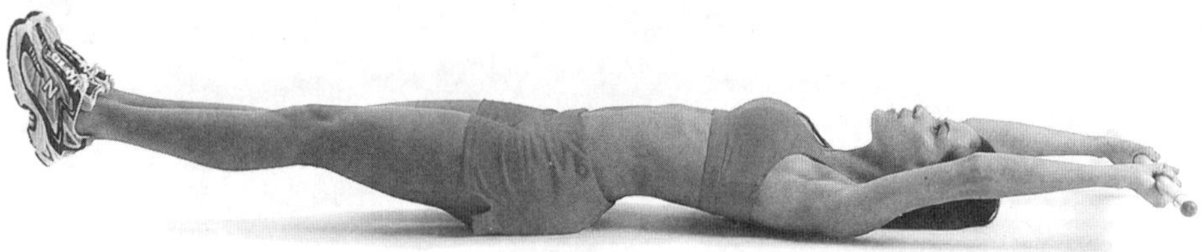

ABDOMINAL COM BASTÃO

Para os abdominais superiores e inferiores

Deite-se de costas, os pés acima do chão, os joelhos ligeiramente flexionados. Segure um bastão por trás da cabeça com os braços estendidos acima do chão. Flexione o tronco ao mesmo tempo que levanta os joelhos, de modo que o bastão fique além deles. Faça uma pausa e volte à posição inicial.

12 repetições *[Intermediário]*

BICICLETA

Para os abdominais superiores e inferiores

Deite-se de costas, os joelhos flexionados em um ângulo de 90º, as mãos na nuca. Impulsione as pernas para trás e para a frente, como se estivesse andando de bicicleta, enquanto vira o corpo de um lado para outro, movendo a axila (e não o cotovelo) na direção do joelho oposto.

20 repetições *[Intermediário]*

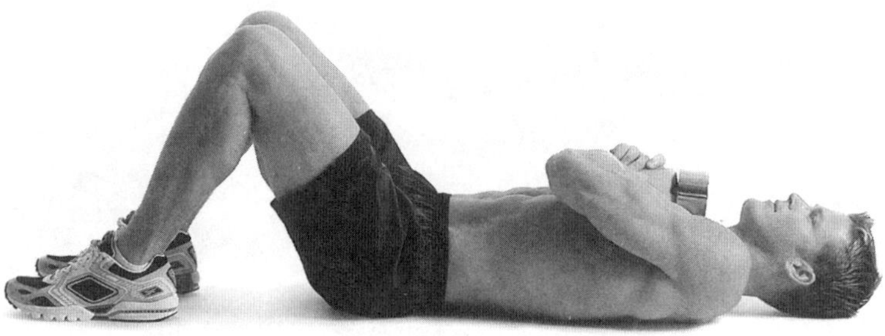

ABDOMINAL UNILATERAL COM PESO

Para os abdominais superiores e os oblíquos

Deite-se de costas, os joelhos dobrados, os pés plantados no chão. Segure um haltere junto do ombro direito com as duas mãos. Flexione o tronco e vire-se para a esquerda. Abaixe o tronco e termine a série. Repita posicionando o haltere junto do ombro esquerdo.
8 repetições de cada lado *[Intermediário]*

LEVANTAMENTO OBLÍQUO DAS PERNAS NA BARRA FIXA

Para os abdominais inferiores e os oblíquos

Segure uma barra fixa com as palmas das mãos viradas para fora e pendure-se nela com os braços estendidos e os joelhos flexionados. Mantendo os joelhos nessa posição, levante o quadril esquerdo na direção da axila esquerda até que as partes inferiores das pernas estejam quase paralelas ao chão. Faça uma pausa, volte à posição inicial e erga o quadril direito na direção da axila direita. **10 repetições de cada lado** *[Intermediário]*

LEVANTAMENTO ALTERNADO DOS JOELHOS NA BARRA FIXA

Para os abdominais inferiores e os oblíquos

Com os braços e as pernas completamente estendidos, segure uma barra fixa com as palmas das mãos viradas para fora e afastadas um pouco mais do que a largura dos ombros. Os pés devem tocar de leve no chão. Sem se balançar para tomar impulso, levante o joelho direito na direção do ombro esquerdo o máximo que conseguir, fazendo força com os abdominais. Para ajudar, projete a pélvis ligeiramente para a frente, mas não se balance. Mantenha-se assim por um segundo e depois volte à posição inicial. Repita com a perna esquerda, erguendo-a na direção do ombro direito.

8-12 repetições de cada lado *[Intermediário]*

ABDOMINAL NA POLIA, AJOELHADO E EM TRÊS MOVIMENTOS

Para os abdominais superiores e os oblíquos

Prenda a corda no cabo da polia alta. Ajoelhe-se de frente para o aparelho e segure as extremidades da corda com as palmas das mãos viradas uma para a outra. Mantenha os dois segmentos da corda junto ao rosto e os cotovelos ligeiramente flexionados. Incline-se para a frente na altura da cintura, curvando as costas e baixando o peito na direção da pélvis. Pare quando sentir uma contração nos músculos abdominais. Retorne à posição inicial e repita o movimento, agora baixando o peito na direção do joelho esquerdo. Pare quando sentir uma contração nos oblíquos esquerdos. Volte à posição inicial e repita o movimento para o lado direito. Toda essa seqüência equivale a uma repetição.

8 repetições *[Intermediário para avançado]*

ROTAÇÃO RUSSA

Para os abdominais superiores e os oblíquos

Sente-se com os joelhos flexionados e os pés plantados no chão. Estenda os braços na frente do peito, com as palmas das mãos viradas para baixo. Incline-se para trás, posicionando o tronco em um ângulo de 45° em relação ao chão. Vire-se para a esquerda o máximo que conseguir, faça uma pausa, reverta o movimento e vire-se para a direita o quanto puder. Quando tiver adquirido força, faça o movimento segurando um peso leve nas mãos. (Atenção: talvez você precise encaixar os pés sob um haltere para ajudar a manter o equilíbrio durante o exercício.)

10 repetições de cada lado *[Intermediário a avançado]*

TOQUE NAS PONTAS DOS PÉS EM V

Para os abdominais superiores e os oblíquos

Deite-se de costas, com as pernas esticadas para cima, em V, sem fechar os joelhos. Erga os braços na direção do teto. Levante os ombros e estenda as duas mãos na direção do pé direito. Mantenha por um segundo, concentrando-se nos abdominais, depois volte à posição inicial. Repita o exercício, agora estendendo as mãos na direção do pé esquerdo. Quando abaixar o tronco, não faça pausa.

12-15 repetições *[Intermediário para avançado]*

ROTAÇÃO NO ALTO SEM APOIO DA COLUNA (SACA-ROLHAS)

Para os abdominais inferiores e os oblíquos

Deite-se de costas, as pernas erguidas diretamente acima do quadril, os joelhos ligeiramente flexionados. Estenda as mãos ao lado do corpo com as palmas viradas para baixo. Use os abdominais inferiores para levantar o quadril do chão, na direção do tórax, enquanto ergue o quadril em linha reta na direção do teto. Ao mesmo tempo, gire-o para a direita, no movimento do saca-rolhas. Mantenha-se assim por um instante, depois volte à posição inicial. Repita, girando para a esquerda.

10 repetições *[Intermediário para avançado]*

BICICLETA COM A PERNA ESTICADA

Para os abdominais superiores e inferiores

Deite-se de costas, flexione o quadril e os joelhos em um ângulo de 90º, deixando os pés suspensos. Coloque as mãos na nuca e faça um abdominal, levantando a cabeça e os ombros do chão ao mesmo tempo que leva a perna esquerda na direção do peito. Abaixe o tronco enquanto estica a perna esquerda, mantendo-a a poucos centímetros do chão. Repita, agora levantando o joelho direito enquanto faz o abdominal. Alterne da esquerda para a direita durante o exercício.

10 repetições de cada lado *[Avançado]*

MOVIMENTO LATERAL COM MEDICINE BALL NO BANCO DECLINADO

Para os abdominais superiores e os oblíquos

Ajuste um banco de abdominal em um ângulo de 45º. Deite-se e encaixe os pés sob os suportes acolchoados. Segure uma medicine ball ou uma anilha sobre o peito. Ao se erguer, vire-se para a esquerda e estenda os braços como se fosse arremessar a bola ou a anilha. Puxe-a de volta para o peito enquanto realinha o tronco e retorne à posição inicial. Repita executando o movimento para a direita.

5 repetições de cada lado *[Avançado]*

FLEXÃO LATERAL DO QUADRIL COM MEDICINE BALL

Para os abdominais inferiores e os oblíquos

Deite-se de costas, as mãos na nuca, o quadril e os joelhos flexionados, os pés plantados no chão. Encaixe uma medicine ball entre os joelhos. Mantenha a região lombar no chão durante o exercício. Contraia os abdominais e leve os joelhos ao peito. Abaixe os joelhos para a esquerda, leve-os de volta para o centro e retorne à posição inicial. Repita o exercício, agora baixando os joelhos para a direita. Alterne os lados em cada repetição.

12 repetições *[Avançado]*

FLEXÃO DO TRONCO COM MEDICINE BALL ENTRE OS JOELHOS

Para os abdominais superiores e inferiores

Deite-se de costas, o quadril e os joelhos flexionados, os pés plantados no chão. Posicione as mãos de leve sobre o peito. Encaixe uma medicine ball entre os joelhos. Expire enquanto ergue os ombros do chão e levanta os joelhos na direção do peito. Segure a medicine ball com as duas mãos e coloque-a sobre o peito enquanto inspira e leva os ombros e as pernas de volta à posição inicial. Recoloque a bola entre os joelhos para a próxima repetição e siga alternando as posições durante todo o exercício.

12 repetições *[Avançado]*

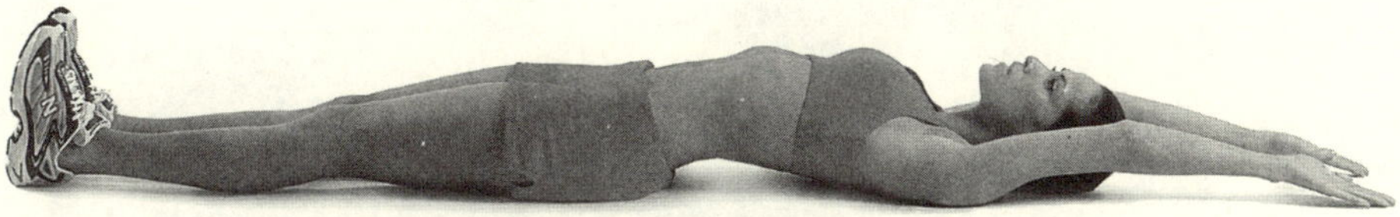

LEVANTAMENTO EM V

Para os abdominais superiores e inferiores

Deite-se de costas, as pernas e os braços estendidos. Mantendo os joelhos e cotovelos retos, levante ao mesmo tempo as pernas e a parte superior do corpo. Tente tocar as pontas dos pés com os dedos.

5-10 repetições *[Avançado]*

ABDOMINAL DUPLO CRUZADO

Para os abdominais superiores e inferiores e os oblíquos

Deite-se de costas, os joelhos dobrados, os pés plantados no chão, a cabeça e o pescoço relaxados, as mãos na nuca. Use os abdominais inferiores para levantar os joelhos e cruzá-los na direção do ombro esquerdo ao mesmo tempo que usa os abdominais superiores para levantar o ombro esquerdo e cruzá-lo na direção do joelho direito. Mantenha por um segundo. Leve as pernas e o tronco para a posição inicial e repita o movimento para o outro lado.

10 repetições de cada lado *[Avançado]*

O plano de manutenção da Dieta do Abdômen

VOCÊ ALCANÇOU SEU OBJETIVO, e isso é um motivo para comemorar. Mas não lhe dá permissão para voltar àquele café da manhã em que devorava tudo e mais alguma coisa. Porém, ganhou uma certa folga. Desenvolveu o corpo para queimar gordura e transformá-la em músculos. Agora, com a base muscular que adquiriu, está naquele ponto em que o organismo trabalha bastante em seu benefício. Aqui está um guia para manter o corpo que você construiu.

ASSUNTO	ORIENTAÇÕES
Dieta básica	Você se ajustou e pode continuar a fazer seis refeições por dia, priorizando os Alimentos Poderosos e os superingredientes, como proteína, fibras e carboidratos de grãos integrais. Continue a tomar "vitaminas" regularmente e enriqueça cada lanche com uma fonte de proteína.
Quebra da dieta	Em vez de quebrar a dieta apenas em uma refeição, você pode fazer isso durante um dia inteiro, comendo qualquer coisa que quiser. Mas limite-se a um único dia, em lugar de realizar várias refeições livres por mais dias. Isso aumentará a probabilidade de que se mantenha concentrado em hábitos alimentares saudáveis.
Programa de Exercícios	Agora você está no esquema de manutenção. Continue com o Programa se quiser ou reduza as atividades físicas ao seguinte esquema: um ou dois dias por semana de treinamento de força e um dia por semana de treinamento intervalado. Pesquisas demonstraram que as pessoas conseguem manter os músculos com apenas uma sessão semanal de exercícios.
Exercícios abdominais	Faça um circuito de exercícios abdominais antes do treinamento de força. Passe a realizar os exercícios avançados. Agora que pode ver seus abdominais, você vai querer aumentar a intensidade. Mesmo assim, para o desenvolvimento máximo desses músculos, não os exercite mais do que dois ou três dias por semana.

VALORES NUTRICIONAIS DE ALIMENTOS COMUNS

A NOVA TENDÊNCIA PARA DIETAS de baixos carboidratos levou um imenso número de pessoas a comer muita gordura e proteína. Não são poucas as que estão com deficiência dos valiosos micronutrientes encontrados em grãos integrais, frutas, legumes e outros alimentos que são proibidos em regimes alimentares desse tipo.

Pode parecer mais fácil assegurar o valor diário de nutrientes tomando uma pílula de multivitaminas do que manter uma dieta balanceada. Mas há dois problemas com essa nutrição que vem acondicionada em embalagens plásticas. Primeiro, as multivitaminas não contêm fibras. Assim, se tudo o que você faz para se garantir é tomar essas pílulas, esse nutriente essencial fica fora da sua alimentação. Segundo, os alimentos têm um grande número de componentes fundamentais além das vitaminas C e E, e a importância de muitos desses nutrientes, chamados fitoquímicos, só agora começa a ser compreendida. "Numa dieta balanceada há milhares de antioxidantes", diz Edgar Miller, médico, Ph.D., da Universidade Johns Hopkins, em Baltimore. "Sob a forma de pílulas, a pessoa ingere apenas uma pequena parcela desses milhares."

Para verificar até que ponto sua dieta é completa em termos nutricionais, consulte a tabela a seguir, com as indicação dos valores em vitaminas e minerais de cada alimento. Calcule sua ingestão total. Se ela estiver aquém da dieta-padrão recomendada (DPR), não se preocupe. Apenas coma mais alimentos que tenham uma alta quantidade das vitaminas e dos minerais que estão faltando.

Valores em Vitaminas e Minerais

	Vitamina A (mcg)	Vitamina B1 (tiamina) (mg)	Vitamina B6 (mg)	Ácido fólico (mcg)
DPR PARA HOMENS/MULHERES	**900/700**	**1,2/1,1**	**1,3/1,3**	**400/400**
Abacate (1 unidade)	122	0,20	0,60	124
Aipo, em tiras (1 xícara)	55	0,03	0,10	45
Alcachofra (1 unidade média)	0	0,10	0,15	87
Alface-americana (1 xícara)	8	0,02	0,03	31
Alface-romana (1/2 xícara)	81	0,02	0,02	38
Alho (1 dente)	0	0	0,04	0,09
Ameixa (1 unidade)	21	0,03	0,05	1,45
Amêndoas (28g)	0	0,05	0,03	11
Amendoins (28g)	0	0,12	0,07	41
Arroz branco (1 xícara)	0	0,03	0,15	5
Arroz integral (1 xícara)	0	0,20	0,30	8
Aspargo (1 unidade média)	12	0,02	0,01	8
Azeitonas (1 colher de sopa)	1,70	0	0	0
Bacon (3 fatias)	0	0,08	0,07	0,40
Bala, não de chocolate (1 pacote)	0	0	0	0
Banana (1 unidade média)	7	0,04	0,40	24
Barra de granola (1 unidade)	2	0,06	0,02	6
Batata-doce (1 unidade)	350	0,09	0,25	9
Batata frita (10 unidades)	0	0,07	0,16	8
Berinjela (1 xícara)	4	0,08	0,09	14
Beterraba (1/2 xícara)	3	0,02	0,05	74
Biscoito Cookies com gotas de chocolate (1 unidade)	0,04	0,01	0,01	0,90
Bife (diferentes cortes)	0	0,10	0,30	6
Bolachas (12 unidades)	0	0,17	0	0
Bolo com glacê (1 fatia)	10	0,01	0,02	7
Bolo de carne (1 fatia)	20	0,10	0,14	12
Brócolis (1 xícara)	213	0,05	0,11	50

Vitamina C (mg)	Vitamina E (mg)	Cálcio (mg)	Magnésio (mg)	Potássio (mg)	Selênio (mcg)	Zinco (mg)
90/75	**15/15**	**1000/1000**	**420/320**	**3500/3500**	**55/55**	**11/8**
16	3	22	78	1.204	0,80	0,84
4	0,33	50	14	322	0,50	0,16
15	0,24	56	77	474	0,26	0,60
2	0,02	11	4	84	0,28	0,10
7	0,04	9	4	69	0,10	0,06
0,90	0	5	0,75	12	0,40	0
6	0	3	5	114	0,30	0,07
0	6	71	86	180	0	1
0	2	15	50	186	2	1
0	0,06	16	19	55	12	0,80
0	0,06	20	84	84	19	1
1	0,18	4	2	32	0,37	0,10
0	0,14	7	0,30	0,67	0,08	0
0	0,06	2	6	107	12	0,70
0	0	0	0	0	0	0
10	0,12	6	32	422	1	0,20
0,22	0,32	15	24	82	4	0,50
19	1,42	41	27	348	0,30	0,30
6	0,12	4	11	211	0,20	0,20
1	0,40	6	11	122	0,10	0,12
3	0,03	11	16	221	0,50	0,24
0	0,26	2,50	3	14	0	0,06
0	0,11	4	19	250	12	3,26
0	0	28	12	48	2,40	0,20
0,04	0	18	14	84	1,40	0,30
0,62	0,10	43	22	295	0	4
66	0,33	34	18	230	2	0,30

	Vitamina A (mcg)	Vitamina B1 (tiamina) (mg)	Vitamina B6 (mg)	Ácido fólico (mcg)
DPR PARA HOMENS/MULHERES	**900/700**	**1,2/1,1**	**1,3/1,3**	**400/400**
Cachorro-quente, fast-food (1 unidade)	0	0,44	0,09	85
Café (1 xícara)	0	0	0	5
Camarão (4 unidades grandes)	0	0,01	0,03	0,77
Carne de porco (85g)	–	0,80	0,30	3
Carne moída magra (85g)	0	0,06	0,24	7
Cenoura (1 unidade)	734	0,04	0,08	12
Cereal, grão integral, com passas (1/2 xícara)	3	0,16	0,10	22
Cerejas naturais (1 xícara)	30	0,07	0,05	5,80
Cerveja (340ml)	0	0,02	0,18	21
Champignons, fatiados (1 xícara)	0	0,09	0,10	12
Chili com feijão (1 xícara)	87	0,12	0,30	59
Chocolate (42g)	20	0,05	0,01	5
Chucrute (1 xícara)	1,42	0,03	0,18	34
Costeleta de porco magra (85g)	1,91	0,26	0,22	3
Couve (1 xícara)	955	0,07	0,11	18
Couve-de-bruxelas (1/2 xícara)	60	0,08	0,14	47
Couve-flor (1 xícara)	2	0,06	0,22	57
Damasco (1 unidade)	67	0,01	0,02	3
Doce folhado assado (1 unidade)	148	0,20	0,20	15
Doughnut (1 unidade)	17	0,10	0,03	24
Espaguete com almôndegas (1 1/2 xícara)	46	0,38	0,43	101
Espinafre (1 xícara)	140	0,02	0,06	58
Farelo de trigo (1 xícara)	0	0,14	0,35	14
Farinha de aveia (1 xícara)	0,12	0,12	0,10	13
Feijão-branco grande, cozido (1 xícara)	0	0,20	0,17	145
Feijão-branco pequeno, cozido (1 xícara)	0,36	0,40	0,30	255
Feijão-carioquinha, cozido (1 xícara)	0	0,17	0,16	294
Feijão-de-lima, cozido (1/2 xícara)	32	0,12	0,16	22
Feijão-mulatinho, cozido (1 xícara)	0	0,28	0,21	230

Vitamina C (mg)	Vitamina E (mg)	Cálcio (mg)	Magnésio (mg)	Potássio (mg)	Selênio (mcg)	Zinco (mg)
90/75	**15/15**	**1000/1000**	**420/320**	**3500/3500**	**55/55**	**11/8**
0,09	0,10	108	27	190	29	2
0	0,05	2	5	114	0	0,02
0,48	0	9	7	40	9	0,30
0	0,20	6	15	253	14	2
0	0,15	7	19	265	0	4
4	0,40	20	7	195	0,06	0,15
0,55	0,40	33	70	207	10	1
10	0,20	21	16	325	0,90	0,09
0	0	18	21	89	2,50	0,04
2	0,10	5	10	355	8	0,70
4	1,46	120	115	934	3	5
0	0,83	78	26	153	2	0,83
21	0,14	43	18	241	0,90	0,30
0	0,20	30	15	204	24	3
33	1	180	23	417	1,17	0,23
48	0,34	28	16	247	1,17	0,26
46	0,08	22	15	303	0,60	0,30
3,50	0,30	5	3,50	90	0,03	0,07
0	0,90	17	12	57	6,30	0,30
0,09	0,90	21	9	60	4	0,30
24	4	138	66	718	39	5
8	0,60	30	24	167	0,30	0,16
0	0,54	26	220	426	28	3
0	0,26	19	51	175	0	1,43
0	1,74	161	113	1.004	2,30	2,50
1,64	0,73	127	107	670	11	1,90
1,37	1,61	72	70	495	19	1,70
9	0,12	27	63	485	1,70	0,70
2	0,05	62	74	717	2	1,80

	Vitamina A (mcg)	Vitamina B1 (tiamina) (mg)	Vitamina B6 (mg)	Ácido fólico (mcg)
DPR PARA HOMENS/MULHERES	**900/700**	**1,2/1,1**	**1,3/1,3**	**400/400**
Feijão-preto, cozido (1 xícara)	1	0,40	0,12	256
Fígado, bife (85g)	8.042	0,16	0,86	215
Framboesas (10 unidades)	0,38	0,01	0,01	4
Frango, sem pele (1/2 peito)	4	0,04	0,32	2
Geléia e conservas (1 colher de sopa)	0,20	0	0	2
Germe de trigo (1/4 de xícara)	0	0,20	0,40	81
Grão-de-bico, cozido (1 xícara)	4	0,19	0,22	282
Grapefruit (310g)	380	0,14	0,50	13
Hambúrguer, fast-food, com temperos e vegetais (1 unidade)	4	0,30	0,12	52
Iogurte, desnatado (220g)	2	0,10	0,09	24
Ketchup (1 colher de sopa)	7	0	0,02	2
Kiwi (1 unidade média)	3	0,02	0,07	19
Lasanha de carne (200g)	61	0,19	0,20	16
Leite, desnatado (1 xícara)	5	0,10	0,10	12
Leite de soja (1 xícara)	0	0,15	0,16	40
Lentilhas (1 colher de sopa)	0,05	0,02	0,02	22
Lombinho canadense (2 fatias)	0	0,40	0,20	2
Maçã (1 unidade média)	8	0,02	0,06	4
Macarrão com queijo (225g)	48	0,25	0	0
Mariscos, fritos (3/4 de xícara)	101	0,11	0,07	41
Massa com molho vermelho (130g)	0	0,13	0,10	4
Melancia (1 fatia)	104	0,20	0,40	6
Melão-cantalupo (1 fatia média)	345	0,04	0,07	21
Milho (1 xícara)	0,26	0,06	0,16	115
Molho de chili (1/2 xícara)	44	0,05	0,16	21
Molho de salada italiano, light (1 colher de sopa)	0	0	0	0
Morangos (1 xícara)	1,66	0,03	0,09	40
Muffin, trigo integral (1 unidade)	0,09	0,25	0,05	36

Vitamina C (mg)	Vitamina E (mg)	Cálcio (mg)	Magnésio (mg)	Potássio (mg)	Selênio (mcg)	Zinco (mg)
90/75	**15/15**	**1000/1000**	**420/320**	**3500/3500**	**55/55**	**11/8**
0	0,14	46	120	610	2	1,90
1,62	0,43	5	18	300	31	4,50
5	0,17	5	4	28	0,04	0,08
0,71	0,08	6,50	16	150	11	0,50
2	0	4	0,80	15	0,40	0
0	0	27	275	166	91	14
2	0,60	80	79	477	6	2,50
12	2	119	121	2.482	1,50	1,56
2	0,42	126	23	251	20	2
1,70	0	415	37	497	11	1,88
2	0,20	3	3	57	0,04	0
70	1	26	13	237	0,15	0,10
12	0,94	220	41	372	28	3
2	0,10	301	27	406	5	1
0	0	80	60	440	3	0,90
0,19	0	2	4	46	0,35	0,16
0	0,16	5	10	181	11	0,80
6	0,25	8	7	148	0	0,06
0	0	102	0	111	0	0
11,25	0	71	16	366	33	1,60
6	1,40	41	13	207	11	0,66
31	0,40	41	31	479	0,30	0,20
37	0,05	9	12	272	0,40	0,18
12	0,15	8	44	343	1,54	1,36
18	1,53	39	17	275	0,50	0,30
0	0	0	0	2	0,20	0
97	0,50	27	22	253	1	0,20
0	0,26	101	21	106	17	0,61

	Vitamina A (mcg)	Vitamina B1 (tiamina) (mg)	Vitamina B6 (mg)	Ácido fólico (mcg)
DPR PARA HOMENS/MULHERES	**900/700**	**1,2/1,1**	**1,3/1,3**	**400/400**
Nectarina (1 unidade)	23	0,05	0,03	7
Nozes (1 xícara)	37	0,27	0,70	82
Ostra (1 unidade média)	4,20	0,01	0,01	1,40
Ovo, inteiro (1 unidade grande)	84	0,03	0,06	22
Panquecas (2 unidades)	7,60	0,16	0,07	28
Pão branco (1 fatia)	0	0,11	0,02	28
Pão de centeio (1 fatia)	0,26	0,14	0,02	35
Pão de grão integral (1 fatia)	0	0,11	0,10	30
Pão doce com canela (1 unidade)	0	0,12	0	17
Pão doce com passas (1 pedaço)	20	0,10	0,03	27
Passas (42g)	0	0,05	0,08	1,28
Pastelão de galinha (1 porção)	256	0,30	0,20	41
Peixe, branco (1 filé)	60	0,26	0,50	26
Pepino com casca (1/2 xícara)	10	0,01	0,02	7
Pêra (1 unidade média)	1,60	0,02	0,05	12
Peru, sem pele (1/2 peito)	0	0,16	0,26	31
Pêssego (1 unidade média)	16	0,02	0,02	4
Pimenta chili, crua (1/2 unidade)	21,6	0,03	0,23	10,35
Pimenta comum (10 tiras)	78	0,04	0,13	13
Pipoca (1 xícara)	0,80	0,02	0,02	2
Pizza de legumes (1 fatia)	58	0,40	0,50	116
Pizza de queijo (1 fatia)	74	0,20	0,04	35
Presunto (1 fatia)	0	0,20	0,10	1
Pretzels (10 unidades)	0	0,30	0,07	103
Purê de batata (1 xícara)	8,40	0,20	0,50	17
Queijo cheddar (1 fatia)	75	0,01	0,02	5
Queijo cottage, light (1 xícara)	25	0,05	0,15	27
Refrigerante (340g)	0	0	0	0
Requeijão (1 colher de sopa)	53	0	0	2
Ricota (1/2 xícara)	132	0,03	0,02	16

Vitamina C (mg)	Vitamina E (mg)	Cálcio (mg)	Magnésio (mg)	Potássio (mg)	Selênio (mcg)	Zinco (mg)
90/75	**15/15**	**1000/1000**	**420/320**	**3500/3500**	**55/55**	**11/8**
7	1	8	12	273	0	0,23
4	0	73	253	655	21	4,28
0,52	0,12	6	7	22	9	13
0	0,50	25	5	63	15	0,50
0,15	0,65	96	15	133	10	0,30
0	0,06	38	6	25	4,30	0,20
0,13	0,11	23	13	53	10	0,36
0,08	0,09	24	14	53	8	0,30
0,06	0,48	10	3,60	19	5	0,10
0,11	0,11	76	10	63	9	0,25
2,30	0,30	12	13	350	0,26	0,08
2	4	33	24	256	0,70	1
0	0,39	51	65	625	25	2
2,76	0	7	6	75	0	0,10
7	0,20	15	12	198	0,17	0,17
0	0,30	39	109	1.142	95	5
6	0,70	6	9	186	0,10	0,17
65	0,30	6	10	145	0,20	0,12
70	0,36	7	6,46	105	0	0
0	0	1	11	24	0,80	0,30
79	2	189	65	548	23	2
1	0	117	16	113	13	1
0	0,10	2	5	94	6	0,50
0	0,21	22	21	88	3	0,50
13	0,04	46	38	621	2	0,60
0	0,08	204	8	28	4	0,90
0	0,02	138	11	194	20	0,86
0	0	10	3	3	0,34	0
0	0,04	12	1	17	0,40	0,10
0	0,09	337	19	155	21	1,70

	Vitamina A (mcg)	Vitamina B1 (tiamina) (mg)	Vitamina B6 (mg)	Ácido fólico (mcg)
DPR PARA HOMENS/MULHERES	**900/700**	**1,2/1,1**	**1,3/1,3**	**400/400**
Rodelas de cebola (10 unidades médias)	0,98	0,10	0,07	64
Salada de atum (1 xícara)	49	0,06	0,17	16
Salada de batata (1 xícara)	2,93	0,20	0,40	19
Salada verde sem molho (1 1/2 xícara)	146	0,40	0,40	101
Salame (3 fatias)	0	0,10	0,08	0,34
Salmão (85g)	9,84	0,20	0,71	22
Salsicha (1 unidade)	0	0,05	0,01	0,26
Sanduíche fast-food (bacon, ovo e queijo)	0	0,53	0,16	73
Semente de girassol (1 xícara)	1,28	0,14	1	303
Soja, cozida (1 xícara)	14	0,47	0,10	200
Sopa de tomate (1 xícara)	29,28	0,09	0,11	15
Sopa, creme de galinha (1 xícara)	179	0,07	0,07	7
Sorvete (1 porção)	6	0,03	0,04	11
Suco de grapefruit, sem adoçante (1 xícara)	0	0,02	0,06	35
Suco de legumes (1 xícara)	188	0,10	0,30	51
Suco de uva (1 xícara)	1	0,07	0,16	8
Sucos de frutas cítricas e sucos concentrados congelados (340g)	7	0,17	0,30	31
Tofu (1/2 xícara)	4,96	0,10	0,06	19
Tomate (1 unidade média)	26	0,02	0,05	9
Torta de maçã (1 pedaço)	37	0,03	0,04	32
Vagem, cozida (1 xícara)	13	0,40	0,34	61
Vinho, branco (1 copo)	0	0	0,01	0
Vinho, tinto (1 copo)	0	0	0,03	2
Whey, proteína em pó (2 colheres de sopa)	0	0	0	0

Vitamina C (mg)	Vitamina E (mg)	Cálcio (mg)	Magnésio (mg)	Potássio (mg)	Selênio (mcg)	Zinco (mg)
90/75	**15/15**	**1000/1000**	**420/320**	**3500/3500**	**55/55**	**11/8**
0,68	0,39	86	19	152	3	0,48
5	2	35	39	365	84	1
19	0,14	14	36	551	10	0,60
16	0	235	49	401	37	3
0	0,05	1,34	2,86	63	4	0,54
0	0,95	11	28	475	35	0,60
0	0,03	1,30	1,56	25	1,87	0,24
2	0,60	160	25	211	36	2
1,79	27	89	165	1.088	101	6,77
31	0,02	261	108	970	3	1,64
66	2	12	7	263	0,50	0,24
1,24	0,25	181	17	272	8	0,67
0,46	0	72	19	164	1,65	0,40
40	0	160	9	154	0	0,20
67	12	26	27	467	1	0,50
0,25	0	23	25	334	0,25	0,13
324	0,24	85	68	1.336	1	0,41
0	0,01	434	37	150	11	1
8	0,33	6	7	146	0	0,11
4	1,78	13	8	76	1	0,20
8	1,35	127	81	752	12	4
0	0	9	10	80	0,20	0,07
0	0	8	13	111	0,20	0,10
0	0	0	0	260	0	0

Cargas glicêmicas de alimentos selecionados

Alimento	Carga	Alimento	Carga
Abacaxi	7	Feijão-mulatinho em lata	10
Ameixa	5	Fettuccine	18
Amendoim	1	Flocos de cereais	13
Arroz branco	23	Grão-de-bico, enlatado	7
Arroz de grão longo	23	Grapefruit	3
Arroz instantâneo	36	Iogurte desnatado,	
Arroz integral	18	adoçado com açúcar	10
Banana	12	Iogurte desnatado,	
Batata cozida	26	com adoçante artificial	2
Batata-doce	17	Kiwi	6
Batata frita	22	Laranja	5
Beterraba	5	Lascas de milho	17
Biscoitos de aveia	9	Leite desnatado	4
Biscoitos de baunilha	14	Leite de soja	8
Bolachas salgadas	12	Linguine	23
Bolinhos de arroz	17	Maçã	6
Cenoura	4	Macarrão	22
Cereal de farelo de trigo	15	Macarrão com queijo	32
Cereal de flocos de milho	21	Massa de tacos	8
Cuscuz	23	Mel	10
Doughnut	17	Melancia	4
Ervilhas	3	Milho verde	9
Espaguete	27	Muffin de farelo de trigo	15
Espaguete de trigo integral	16	Multicereais	17
Farelo de cereal	9	Pão alemão	12
Farinha de aveia	17	Pão branco	10
Feijão-carioquinha	9	Pão de centeio	10
Feijão cozido	7	Pão de hambúrguer	9
Feijão-de-lima, congelado	10	Pão de trigo integral	7

Pão francês	15	Sopa de lentilhas	9
Pão recheado	16	Sopa de tomate	6
Passas	28	Suco de grapefruit	9
Pêra	4	Suco de laranja	12
Pêssego	5	Suco de maçã	12
Pipoca	8	Tortellini de queijo	10
Pizza de queijo	16	Uvas	7
Purê de batata	15	Waffles congelados	10
Sopa de feijão-preto	17		

Como usar essa tabela

Os números nessa tabela representam as cargas glicêmicas (CGs) de alimentos comuns. A CG é o produto do índice glicêmico de um alimento e da quantidade de carboidratos presentes em cada porção. Essencialmente, a CG calcula a elevação projetada da glicose no sangue causada pela ingestão de um alimento específico. Quanto mais alta a CG de um alimento, mais alta a probabilidade de obter ao mesmo tempo calorias e carboidratos. Por isso, você deve tentar basear suas refeições em alimentos com uma CG de 19 ou menos e permanecer em um total de CG inferior a 120 durante o dia inteiro.

Conheça outros importantes títulos da Editora Sextante

A Dieta de South Beach

Arthur Agatston

Comer deve ser um prazer mesmo quando se está tentando emagrecer. Este é um dos princípios básicos da *Dieta de South Beach*, um plano feito a partir do que há de mais moderno na ciência para perder peso de forma rápida, saudável e sem precisar sentir fome.

Elaborada pelo renomado cardiologista Arthur Agatston, *A Dieta de South Beach* se tornou uma sensação nos Estados Unidos por gerar resultados impressionantes: perder de 3 a 5 quilos nas duas primeiras semanas e adotar novos hábitos alimentares capazes de manter seu peso a longo prazo.

Receitas da Dieta de South Beach

Arthur Agatston

A Dieta de South Beach foi feita para pessoas que têm prazer em comer. Nessa edição especial, você vai encontrar mais de 200 receitas deliciosas, adequadas aos princípios nutricionais da dieta e ilustradas com fotos coloridas de dar água na boca.

Com receitas para o café da manhã, lanches e aperitivos, sopas, saladas, molhos e acompanhamentos, peixes, frutos do mar, aves e carnes, pratos vegetarianos e sobremesas, esse livro também apresenta os princípios gerais da *Dieta de South Beach*, uma lista de compras para facilitar a sua vida e respostas às dúvidas mais freqüentes sobre a dieta.

Guia de alimentos da Dieta de South Beach

Arthur Agatston

A Dieta de South Beach não é apenas uma maneira de se alimentar: é uma forma de compreender o alimento. Depois que entendemos o princípio, somos capazes de fazer as escolhas alimentares certas. E para ajudar você a fazer essas escolhas, o cardiologista Arthur Agatston preparou esse guia, que indica os alimentos permitidos e proibidos para ajudá-lo a se alimentar de forma saudável e diversificada.

O guia contém centenas de alimentos, apresentados em ordem alfabética e por categoria. Cada um dos verbetes relaciona a quantidade de carboidratos, açúcar e gordura referente a uma porção, e indica como incorporar cada alimento à sua dieta.

Bons carboidratos, maus carboidratos

Johanna Burani e Linda Rao

Os carboidratos já foram considerados os vilões das dietas, mas o que pouca gente sabe é que nem todos são iguais. Existem os bons e os maus carboidratos. E a ingestão dos carboidratos certos – de lenta digestão – é extremamente benéfica para a saúde: ajuda a emagrecer e controlar os níveis de açúcar no sangue e melhora nossa saúde cardíaca.

Nesse livro, a nutricionista Johanna Burani e a jornalista Linda Rao mostram a importância de escolher os alimentos certos para ter saúde e manter-se em forma. E também ensinam como perder peso sem passar fome, ter dor de cabeça ou sentir-se irritado e como controlar a diabetes usando os bons carboidratos.

200 receitas de bons carboidratos

Sandra Woodruff

200 receitas de bons carboidratos vai lhe mostrar por que os bons carboidratos ajudam a prevenir problemas como obesidade, diabetes e doenças cardiovasculares, explicando tudo o que você precisa saber *na prática* para cozinhar em casa ou comer fora.

Com receitas para o café da manhã, entradas, sopas, saladas, sanduíches, sobremesas, acompanhamentos e pratos principais, ele ainda inclui tabelas com centenas de alimentos, analisando a quantidade de calorias, gorduras e carboidratos de cada um.

Os 100 segredos das pessoas saudáveis

David Niven

A idéia equivocada de que ficar doente é uma fatalidade faz com que muita gente não cuide de sua saúde como deveria. Ao tomar consciência de que nós é que escolhemos ser saudáveis ou não, podemos melhorar significativamente nossa qualidade de vida.

Você aprenderá que o importante é pensar na saúde como um investimento a longo prazo, promovendo pequenas mudanças que vão fazer uma enorme diferença em sua vida.

Mantenha o seu cérebro vivo

Lawrence C. Katz e Manning Rubin

Esse livro apresenta a Neuróbica, um extraordinário programa de exercícios para melhorar a capacidade cerebral baseado nas últimas pesquisas da neurociência. A Neuróbica usa combinações dos cinco sentidos e baseia-se em atividades simples que podem ser realizadas a qualquer hora – ao acordar, a caminho do trabalho, no jantar com a família e assim por diante.

O resultado é uma mente mais sadia e capaz de enfrentar qualquer desafio, seja lembrar um nome, aprender um novo programa de computador ou permanecer criativo no trabalho e em todos os setores de sua vida.

A fórmula da felicidade

Stefan Klein

Esse livro apresenta as mais recentes descobertas realizadas nessa área graças à moderna tecnologia do século XXI e ao trabalho de cientistas, médicos, fisiologistas, psicólogos e especialistas em comportamento.

O cientista alemão Stefan Klein traça um panorama surpreendente do que vem sendo revelado sobre a relação entre a felicidade e as funções do amor e do sexo, da amizade, do padrão econômico, da atividade física, da dependência química e dos medicamentos antidepressivos. O resultado são orientações para alcançar uma vida feliz, com mais bem-estar, saúde e harmonia em nossos relacionamentos.

Ioga no trabalho

Darrin Zeer

Suas costas e pescoço reclamam, seu cérebro já virou geléia. Chega em casa no auge do estresse e exaustão, não consegue nem conversar e só quer saber de comer uma pizza e ver um pouco de televisão antes de dormir... para acordar e fazer tudo igual no dia seguinte.

Experimentem alguns dos alongamentos de ioga desse livro. Foram criados para ser feitos em qualquer lugar, a qualquer momento: no escritório, durante reuniões, falando ao telefone ou até mesmo na cama. Esses alongamentos são suaves e relaxantes. Acalmam os músculos doloridos e diminuem a tensão.

Cultivando a saúde do corpo e da mente

Louise Hay

Se nos deixarmos envolver pelo turbilhão do cotidiano, pela forma mecânica com que repetimos os mesmos gestos a cada dia, se não encontrarmos um espaço para nos voltarmos para dentro de nós e refletir, as chances de felicidade diminuem.

À medida que as atingimos, passamos a irradiá-las em torno de nós, com reflexos extremamente positivos em nosso mundo mais próximo e, de forma misteriosa, em todo o universo.

Conheça os 30 clássicos da Editora Sextante

- *O Código Da Vinci, Anjos e Demônios* e *Fortaleza Digital,* de Dan Brown
- *Pais brilhantes, professores fascinantes, Nunca desista de seus sonhos* e *Você é insubstituível,* de Augusto Cury
- *O monge e o executivo,* de James C. Hunter
- *Um dia "daqueles", O sentido da vida* e *Querida mamãe, obrigado por tudo,* de Bradley Trevor Greive
- *Por que os homens fazem sexo e as mulheres fazem amor?,* de Allan e Barbara Pease
- *Os 100 segredos das pessoas felizes* e *Os 100 segredos das pessoas de sucesso,* de David Niven
- *Enquanto o amor não vem,* de Iyanla Vanzant
- *A última grande lição* e *As cinco pessoas que você encontra no céu,* de Mitch Albom
- *A Dieta de South Beach,* de Arthur Agatston
- *O ócio criativo,* de Domenico De Masi
- *Não leve a vida tão a sério,* de Hugh Prather
- *O Poder do Agora,* de Eckhart Tolle
- *A vida é bela,* de Dominique Glocheux
- *Palavras de sabedoria* e *O caminho da tranqüilidade,* de Sua Santidade, o Dalai-Lama
- *Muitas vidas, muitos mestres* e *Só o amor é real,* de Brian Weiss
- *Histórias para aquecer o coração,* de Jack Canfield e Mark V. Hansen
- *Conversando com os espíritos,* de James Van Praagh
- *Aprendendo a gostar de si mesmo,* de Louise Hay
- *Mantenha o seu cérebro vivo,* de Lawrence Katz e Manning Rubin
- *Aprendendo a silenciar a mente,* de Osho

Informações sobre os próximos lançamentos

Para receber informações sobre os lançamentos da Editora Sextante, basta enviar um e-mail para
atendimento@esextante.com.br
ou cadastrar-se diretamente no site
www.sextante.com.br

Para saber mais sobre nossos títulos e autores, e enviar seus comentários sobre este livro, visite o nosso site:
www.sextante.com.br

Editora Sextante
Rua Voluntários da Pátria, 45 / 1.404 – Botafogo
Rio de Janeiro – RJ – 22270-000 – Brasil
Telefone: (21) 2286-9944 – Fax: (21) 2286-9244
E-mail: atendimento@esextante.com.br